GENTOSHA OUTLAW BUNKO

ヤクザに学ぶ交渉術

山平重樹

JN285884

幻冬舎アウトロー文庫

ヤクザに学ぶ交渉術

目次

第一章 「掛けあい」はヤクザにおける
もうひとつの抗争である

第一章

「掛けあい」はヤクザにおけるもうひとつの抗争である

一　掛けあいの極意は気合いである

——絶対的不利の状況からの大逆転は可能か

現代はネゴシエーションの時代であるという。何ごとにおいてもネゴシエーション——交渉・掛けあいの重要性はいまさらいうまでもないであろう。確かに大は国際政治から小は主婦の買い物の場に至るまで、われわれの日常生活は〝交渉〟から成り立っている。

ビジネスマンの仕事の大半は交渉ごとである——とするなら、それ以上に〝交渉〟を生活における根幹、最重要テーマとしている集団がヤクザ社会であろう。

《どのような交渉事においても全身を「肝《きも》」にせよ。どんなことがあっても顔色を変えて「肚《はら》」を読まれてはならない》

とは、ある組織が掲げている「若者心得」の一項目だが、これをもってしても、彼らが交渉ごとをいかに重要と考えているか、またそこで決め手になるのは胆力であると認識していることも見てとれよう。

たとえば、組織同士でひとたびトラブルが生じたとき、ドンパチを防ぐためにはどうしても話しあい——掛けあいというものが必要になってくる。それはまさに体を張ったやりとりになるわけで、いったんこじれてしまえば即抗争に発展せざるを得なくなる。

舐《な》められたらおまんまの食いあげとなるのがヤクザ社会である。掛けあいはヤクザの生命線であり、性根《しょうね》がかかっているといっても過言ではあるまい。下手な話のつけようでは指を詰めるだけでは済まず、組織が潰滅《かいめつ》的な打撃を受けてしまうことだってあり得よう。

となると、掛けあいはヤクザにおけるもうひとつの命を賭けた抗争といってもいいだろう。カタギ社会における交渉ごととの決定的な違いはそこである。

カタギは交渉で失敗してもピストルの弾が飛ぶことはまずあるまい。ところが、そうはいかないのがヤクザの世界で、失敗は許されないし、ごめんなさいで済む問題ではなくなってくる。指も飛ぶし、弾も飛ぶ。ましてこの時代、ますます喧嘩《けんか》御法度《ごはっと》となったヤクザ社会において、交渉ごと・掛けあいの重要性は昔の比ではあるまい。

さて、そういう意味で、ヤクザ界には、掛けあいの凄さということでいまも語り草になっている伝説的な親分がいる。

東京・赤坂に居を置いたことから晩年は〝赤坂の天皇〟とも呼称され、住吉会の最高顧問をつとめた浜本政吉である。

「負けん気と喧嘩の掛けあいは天下一品。どんなに状況が悪く、がけっぷちに追いこまれても強気一辺倒。普通ならガケから落っこちてしまうような場面でも、片足ケンケンになるまでツッパる人でした」

と若い時分からの浜本を知る人はいう。

そんな常人には及びもつかない性根、捨て身ぶりが、若いころ、〝バカ政〟と異名をつけられたゆえんであろう。

よくいわれる浜本の掛けあいの凄みを、元側近はこう証言する。

「そりゃ、ひと言ひと言が勝負の世界ですからね。こっちが三分で向こうが七分くらいの有利で来る場面でも、浜本はまず向こうの話をジイッと聞いてます。ひと言間違った言葉を吐いたら、そこでバーンといくんです。そうすると五分五分になります。

そのうちに立場が反対になっています。帰りには、先方がすいません、と帰っていかなきゃならなくなる。そういう掛けあいはうまかったですね。ただ、相手が悪くて『申しわけない』と詫びてきたときには、それで許してましたね。腹には何もない人でした。浜本と深いつきあいをするようになった人で、最初はそういうケースで詫びに来たのがきっかけという人は、結構いるんです」

圧倒的に不利な局面でも、浜本にかかると、いつのまにかそれがひっくり返っていたわけである。こんな鬼気迫る啖呵《たんか》がどこから出るのだろうと思うくらいの圧倒的な迫力で、相手はぐうの音《ね》も出なくなったという。気合い一発である。

浜本政吉という親分の独壇場でもあったわけだが、浜本に限らず、ヤクザの世界ではこうした絶対的な不利な状況下、掛けあい次第ではそれをはねのけ五分五分に持ちこむケースも起こりうるという。では、そうした逆転劇はどうして可能なのだろうか。

「結局、相手が七、八分という圧倒的な有利さのうえにのっかって隙《すき》ができてしまうということだろうな。つい不用意な発言をポロッと漏《も》らしてしまう。われわれの世界じゃ、それが命とりになる。言葉尻をとらえられるようなことをいっちゃダメなんだ。『わかった。今度の一件はうちが悪い。だが、いま、あんたがいったことは何だ。今度の件とはまったく別問題だ。絶対許さん。尻《ケツ》をとるぞ。さあ、このケジメ、どうつけるつもりだ。なんなら、このケツ、そっちの上に持ちこんでもいいんだぞ』ってな具合いになってしまうんだな」（組関係者）

ケツというのは、責任というような意味あいで使われる業界用語だが、こうなるとたちまち形勢逆転である。

だが、本来、追いこまれて余裕のないはずの人間が、瀬戸際でこういう啖呵を吐き、こういう所作をするというのは誰にでもできるわけではなく、千両役者ならではのこと。

「捨て身で開き直れるヤツが強いんですよ。相手が七、八分の有利といったって、〇対十ではない。〇対十じゃ交渉じゃなくて、頭下げてごめんなさいという話だ。二対八なら二があるから話ができるわけで、その八を金銭で解決しておいて、ところで、この二をどうするんだってことで押し通したら、二対八でも引っくり返るんですよ。交渉ごとというのはすべからくおカネに結びつく。カネに無縁なようであっても、権利であったり、何かで生産的なものに関わってる。何か対価を求めて物事をやってるわけだから、それがカネはいらないよ、なんなら倍にして払ってやるけど、これどうするんだっていわれたら困るよ。損得抜きで面子《メンツ》とか立場、主義主張、信用の問題といったことを持ちだされると、損得しか頭にない人間は弱いんだ」

とは、別の組関係者の弁だ。

かつて関西には強者《つわもの》の大物組長がいて、およそ二対八ぐらいで立場が悪い状況でも、掛けあいでは八の非を詫びるどころか、二のほうの正当性を強硬に押し通すのがつねだったという。

たとえば、若い衆がよその組の者と揉《も》め、相手を殺《あや》めてしまったことがあった。喧嘩の原因はささいなことで、どちらが悪いともいえなかったから、これはどうしても殺した側のほうが〇対十とはいわないまでも、かなりの比率で分が悪いのは明らかだった。

ところが、この組長、掛けあいの席では詫びるより何より、

「うちの大事な若い衆を長い懲役に行かせなきゃならないような真似をさらしくさって……いったいこの始末はどうつけてくれるんや⁉」

と迫ったという。

これには相手も啞然としたのは間違いない。八対二もしくは九対一ぐらいの有利な

立場で臨んでいるはずなのに、まるで逆の相手の態度に、

〈あれっ、こっちが悪かったんだっけ？〉

と思わずポカンとしたことだろう。

役者が一枚上、気合い勝ちといったところだ。

関東でも同じようなケースがあって、こちらはもっと状況が悪かった。ある日、T市でA会の若い者が二人殺され、その犯人としてB組組員という暴走族数人が警察に逮捕された。A会B組ともに代紋は違うがT市に本拠を置く二次団体同士だった。さあ、そうなると、A会とB組の抗争は必至である。

そこでB組長は、それを防ぐべく第三者のC組組長を立会人として一人だけ連れ、A会長宅に掛けあいに出かけた。A会長、B組長とも渡世上の貫目《かんめ》はほぼ同じぐらいである。

B組長はA会長に対して、

「A会長、あなたは自分の末端の若い者のところに出入りしてるかどうかもわからん暴走族が、勝手にA会と名のって、よそさまと間違いを起こしたことにいちいち責任をとれますか？」

ズバッと単刀直入に訊ねた。

A会長は少し考えたあとで、

「──それはとれんなあ……」

と答えた。この時点で勝負はあったわけである。

「そうでしょ」

B組長は言質《げんち》をとったのである。

「じゃあ、今度の件もわかってもらえますね。やつら、勝手にうちの組を名のっているだけの話で、誰も盃などやってません。うちもえらい迷惑してるんですよ」

「………」

すぐさま報復に出ようとしたA会は、それよりすばやいB組長の対応に出鼻をくじかれてしまったのだった。その暴走族がB組組員ではないというB組長の弁も、甚《はなは》だ疑わしかった。

が、立会人のC組長の前で、

「それはとれんなあ」

といってしまった以上、もはやどうにもならなかった。

かくて両者の抗争は防げたわけだが、これまた九割がたの不利な状況を引っくり返したB組長の掛けあいの賜《たま》ものといえよう。

なるほど掛けあいとは胆力であり、まず気合いであるというのはその通りであろうか。

二　掛けあいはとことん相手を追い込んではならない

——一カ所逃げ道を作ってやる

交渉ごとで大事なことは、いくらわがほうに九割九分九厘の正当性があろうとも、相手をとことん追いこんではならないということだ。

窮鼠《きゅうそ》猫をかむのたとえもあるように、それが思わぬしっぺ返しを食らうことにもなりかねないし、とんだ落とし穴も待っていよう。

もう故人となってしまったが、京阪神地区の大物親分には、若かりし時分、こんなエピソードがある。

自分の一家内の先輩がよその賭場《とば》でトラブルを起こし、木刀で頭を叩き割られる事件が起きた。聞くと、悪いのはどうもその先輩のようで、賭場を仕切っている者からそうやられても仕方のないことをしでかしたようなのだ。一家の先輩たちからは、

「せやけど、うちの者をやっといて、相手が何もいうて来んというのは、少し筋《すじ》が通らんのとちゃうか」

という声もあがったが、その者の日ごろの行状の悪さもあって、結局は、

「放っとけ、放っとけ」

となった。だが、その親分は放っておけなかった。

「こんなん、行かな、かっこ悪いでっせ」

とただちに若い衆数人を連れ、日本刀を手に相手方へと乗りこんだ。が、身内の先輩の頭を叩き割った当人や他の痛めつけた連中は誰もいなかった。

代わって、そこの一門に連なる年配の博奕《ばくち》打ちが出てきて、

「ここはひとまず引きあげてくれ」

というのに、親分は血気盛んな時分であったから、

「うちの者が辱《はずかし》めを受けて、そのままにしとったんではうちの面子がおまへんのや。ここまで来て帰るわけにはいきしまへん」

と突っぱねた。すると、その博奕打ち、

「気持ちはわかるが、ここはワシの顔を立ててくれんか。この土産《みやげ》は今日のうちにき

ちっと持ってくよってに、ここは引きあげてくれんか」

誠意の感じられる男の言葉に、親分もようやく引きあげる決心をした。

約束通り、博奕打ちはその日のうちに親分に土産を持ってきた。土産というのは、ヤクザ渡世でいう〝落とし前〟のことだった。

博奕打ちはこう切りだした。

「まずこちらの若い衆さんに怪我させた当人には小指詰めさし、破門にしますよって……。カタギにさせます。それから、うちで詫び状書いて医者代も出させてもらいますさかい……」

相手方の名代は、これ以上ないような大きな土産を出してきた。親分は黙って聞いていたが、大きくうなずくと、

「結構だす。それ、貰《もろ》ときましょ」

ときっぱり答え、やがて意を決したように相手にこういいきった。

「これ、私が貰てええか悪いかわからんけども、ありがたく貰ときますわ。せやけど、その人間を破門にしても、小指詰めてもろうても、うちは何の得にもなりまへん。それより本人に、頭下げ、両手ついて、悪うおした、といってもろたら結構ですわ。ほ

んであとの土産は全部あんたがくれはったんやから、また返しますさかい、持って帰っておくれやす」

相手がびっくりした顔で親分の顔を見たのも無理はなかった。天秤《てんびん》が一方的に傾いているような好条件をいとも簡単に蹴《け》とばしているのだ。そのうえで、ただ当人が手をついて謝まってくれさえすればいいといっているのだから、信じられなかった。普通の者なら「してやったり」と飛びつくところだろう。

「ホンマにそれでええんでっか。あんた、親分に怒られしまへんか」

思わず訊き返したほどである。実は親分はトップから、好きなようにやれと交渉のいっさいを任されていた。

「怒られんのは私どす。受けとっても怒られるやもわからしまへんし……。まあ、これだけは持って帰ってもらわなんだら、私も聞きとれまへん」

と押し通した。

結局、この一件で親分は大いに男をあげ、売りだすきっかけにもなった。あとで親分から報告を聞いたトップも、ことのほか喜んで、

「よくやった。それでええんや。破門してもろたところで、ワシがまた電車に乗って

その破門を解きにいかなならんし、小指もろうたところで、薬にも何にもならんし、詫び状もろたところで宝にもならんやないか。それでよかったんや」

と親分を誉めたという。

実際、その土産を全部もらっていたのでは、かえって親分のほうが男を下げることになったかも知れない。なんとなれば、いくらなんでもその条件では秤《はかり》が一方に傾きすぎで、相手をとことん追いつめることにもなりかねなかったからだ。

もともと賭場で一家の先輩が頭をかち割られたのには、やられても仕方のない理由というものがあった。相手も制裁を加えたことをひと言一家に通達しておけば筋は通ったのであろうが、それを怠《おこた》ったがために、

「舐められた。うちの者と知ってやっておきながら、何の挨拶《あいさつ》もない。それではうちの面子がない」

ということで殴りこむハメになったのだが、相手はもぬけのからで、なおさら親分はひっこみがつかなくなった。幸い話のわかる人が出てきて、

「顔が立つよう土産は必ず持っていくから引きあげてくれ」

というので引きあげ、トップにその旨を報告したところ、相手との交渉のすべてを

任されたのである。

その結果、相手は非を認めて全面的に譲歩した。いや、屈伏したといっていい。それほど親分の一家は当時からその賭場を仕切る組に比べてはるかに力も勢いもあったのだろう。

が、だからといって、その勢威を笠に着て詫び状をとり、見舞金を出させ、指を詰めさせたうえで破門まで認めていたらどうなっていたか。

「最初の賭場での若い衆の所作をタナにあげて、そらいくらなんでもやりすぎとちゃうか」

という世間の声もあがっていたかも知れない。

当の相手からも、

「力にものをいわせてひどいことをしよるなあ」

と自分たちの意気地のなさをタナにあげて逆恨みされ、禍根を残したであろう。

ともあれ、とことん追いつめてはろくな結果にならないのは目に見えていた。

その点、親分の対応は見事なものであった。

「さすがや」

との評判をとり、交渉人となった相手の博奕打ちをも、

「あんたは男になりはりますなあ——」

と唸らせているのだ。

現実にこの親分はその後メキメキ売りだしていき、西日本にこの人ありと謳われるような親分となった。

「けど、昨今はそんな親分も少なくなったんじゃないか。掛けあいにしろ、相手の立場なんてひとつも考えずに、何が何でもこっちの意のまま有利なように推し進めようとしてる連中ばっかりだよ。力でゴリ押し、筋も何にもなし。相手がどうなろうと知ったこっちゃなし。相手の弱みにつけこんでぐうの音も出ないくらいに追いこんでしまう。カネをとったうえで、面子も潰すようなやりくちだ。そうなると、相手はもう行き場がなくなるよ。で、どうなると思う？　窮鼠猫をかむ。とんでもない反撃が待ってるわけだな。失うものが何もなくなったヤツほど強いヤツはいないんだから」

（消息通）

掛けあいの要諦《ようてい》は、手の内にすべてのカードを握っていて、圧倒的に分のいい話であっても、全部の逃げ道をふさぐ形で相手を追いこんではならないということだろう。

二　〝キッシンジャー〟と呼ばれた極道

Ｈ・Ａ・キッシンジャーといえば、国際政治の場において、交渉人《ネゴシエイター》の第一人者として世界を舞台に東奔西走《とうほんせいそう》、その名を轟《とどろ》かした人物である。ニクソン大統領の参謀として、またニクソン失脚後はその後を継いだフォード大統領に協力、アメリカの外交史をつくってきた。

ところで、わが日本ヤクザ界においても、かつてこのキッシンジャーばりのネゴシエイターぶりを発揮、〝山口組のキッシンジャー〟と呼ばれた親分がいた。

三代目山口組時代、本部長補佐をつとめ、準最高幹部待遇だった元Ｋ組Ｋ組長である。

Ｋ氏は昭和五十九年、山口組の分裂直前に惜しまれつつも引退、カタギの道を選んで現在に至るが、現役時代は対外的な交渉担当として数々の実績をあげてきた。その水際だった抜群の外交手腕は、いまも業界の語り草となっている。

「田岡組長の晩年、山口組は〝平和路線〟を敷き、他の組織との〝平和共存〟の方針を掲げた。田岡三代目の意を受けて、他組織との交渉の、あるいは盃事の際には欠かせぬ存在となったのが、元K組長だった。長い間、冷戦状態にあり、没交渉だった当時の『関西二十日会（その後『西日本二十日会』となったのちに解散）との間にパイプを通し、泥沼化しつつあった〝沖縄戦争〟の終結に向けて奔走したり、その外交、調停手腕、頭脳回転の速さには定評があった。そんなところから、〝山口組のキッシンジャー〟の異名がつくようになったわけだ」（山口組ウォッチャー）

もともと〝殺しの軍団〟として恐れられた柳川組の一員であった。当時の三代目山口組若頭である地道行雄組長ひきいる地道組の若頭だった佐々木組佐々木将城組長の舎弟となったのが縁で、柳川組柳川次郎組長も地道若頭の舎弟となり、やがては両者ともに山口組直系若衆となるのである。

K組長の武闘の最たるものは昭和三十五年の明友会事件。〝斬り込み隊〟の指揮者として明友会幹部のアジト「有楽荘」を急襲し、明友会を屈服させたが、その結果は懲役十二年十カ月。山口組内で最高の量刑だった。

「極道社会における交渉人《ネゴシエイター》の条件というのは、単に頭の回転が速く、押しだしがきいて、弁が立ち、交渉能力にたけていればいいというのではない。やはり極道としてそれ相応の貫目・器量があり、実績のある者でなけりゃ、誰も相手にしないよ。その点、かつてのK組長が、ネゴシエイターとして他組織からも信頼されたというのは、自ら十二年十カ月の懲役をつとめ、体を懸けたという実績もあったし、その器量も申し分なかった。若いのに、相手を呑んでしまうようないうにいわれぬ貫禄、どんな場でも動じない胆力は一級品だった。それとやはり一番大事なことは、相手に対する細心の気づかい、気配りもできた男で、そうした誠意が相手にも伝わったんだろう」（消息通）

当時は山口組と他組織との間で抗争事件が起きたときに、その抗争収拾にむけて、田岡組長の意を受け、山口組側の調停役として動くのも、K氏の役目になることが多かったのだ。

「K組長の場合、山口組側のネゴシエイターとして抗争収拾のために動くときは、単身で相手のところに話に赴《おもむ》くわけだ。そりゃ、いわば敵陣に乗りこむ形だから好意的な雰囲気ではないわな。なかには露骨に挑むような視線を投げてくるのもいるやろ。そうしたなかで、K組長が最初にとる行為は、死者があれば、『お線香をあげさせておくんなはれ』とまず死者のために線香をあげることだった。結局、真っ先にそうした姿勢を見せることによって、それ以後の交渉はスムーズにいくことが多かったというんだが、やはり〝山口組のキッシンジャー〟の異名をとった男ならではの芸当だったろう」（前出・消息通）

こうしたK氏の外交・調停手腕は、カタギになってからも存分に発揮されることになる。

その有名な話が、昭和六十一年、フィリピン・ホロ島で反政府ゲリラ、モロ民族解放戦線（MNLF）の捕虜になっていた日本人カメラマンを、ゲリラ側との一年以上にわたる交渉の結果、救出した事件であろう。

四代目山口組が誕生する直前、極道社会を引退したK氏は、貿易などの事業に取りくんでいたが、間もなく山一抗争が勃発、そのため、身辺の喧騒から逃れようと、ロサンゼルスに一年間ほど滞在する予定をたてた。

その途中、マニラの友人の貿易商のもとへ、一週間ほどの予定で立ち寄ったとき知ったのが、くだんの日本人カメラマン捕虜事件だった。

K氏はすぐさまこの青年を救おうと決意する。そのため、一週間のフィリピン滞在予定が一年以上の長逗留《ながとうりゅう》となってしまうのである。義侠心というヤツであろう。

K氏は囚《とら》われの日本人カメラマンに手紙を書き、また貿易商の友人とともに何度かホロ島へ渡り、ゲリラのボスとも交渉を持った。そうした交渉ができるようになったのも、フィリピンに在住して十七年になる友人のルートを通してのものだった。

K氏の鮮やかな交渉手腕はここでもいかんなく発揮された。

ホロ島といっても、モロ民族解放戦線が拠点を持っているのは山中で、彼らは家族を街に残していた。その家族や他の住民（MNLFのシンパである）はたいてい魚を獲って生計をたてているのだが、市場があっても魚を保存したり、計画的に売買する機構を持っていなかった。

K氏はここに目をつけ、まず現地に漁業組合をつくらせたうえで、モスリム省当局に掛けあい、漁業組合に補助金を出させることにした。これに成功したK氏は、さらに知人の漁業関係の会社社長と交渉してイカ二百トンの買いつけを確約してもらうことにもなった。

そうしたことが徐々にゲリラ側の心を動かし、ついには、ゲリラを交渉のテーブルに就かせることができたのだった。

友人である民族派思想家の故野村秋介氏の協力や、多くの友人の側面的援助もあって、K氏たちが見事日本人カメラマン救出に成功するのは、捕虜となって一年二カ月後、昭和六十一年三月十六日のことだった。

ネゴシエイターK氏の圧倒的交渉力の成果といえるだろう。

四　最悪を想定して肚を括れば突破口は開ける

ヤクザにおいて掛けあいというのは、ピストルの弾が飛ばない抗争といっていい。いかに本物の抗争に持ちこまずに勝利を収めるか、それはある意味で実際に実弾が飛びかう抗争に勝利すること以上に至難の業で、掛けあい人《ネゴシエイター》の性根が試されるであろう。

「一番大事なことは、場合によっては抗争もやむを得ないな、と最悪の事態を想定していくということ。といっても、初めから喧嘩腰でいくというんじゃないですよ。最悪はしょうがないな、と肚を括《くく》ることが大事なんです。そうじゃなくて、右でも左でもないという中途半端な考えのままで掛けあいにいくのは根本的な間違い。中途半端だと答えが出ないから引くに引けなくなってしまう。こっちが不利になるか、もしくはやらなくていい戦争にならざるを得なくなる」

というのは、都内に事務所を置く四十代の広域系三次団体のA組長。

このA組長、まさにその言葉通り、過去、不利な掛けあいの場に、抗争やむなしの肚を括って臨んだことは一度ならずあり、数々のピンチを乗りきってきた。若くして出世コースに乗れたのも、器量や識見はもとより、そうしたいろんな修羅場《しゅらば》や掛けあいを制してきたからに他なるまい。まさに掛けあいを制する者はヤクザを制す——といっていい。

何年か前にはこんなこともあった。

A組長の所属するZ一家本部に、関西の名うての武闘派組織B組の若頭補佐を名のる者から、

「A組長と連絡をとりたいんですが……」

とA組長を名ざしで電話が入ってきた。

たまたまこのときA組長、風邪《かぜ》で寝ていたこともあり、若い衆が相手と連絡をとり、

「どういう御用件ですか？」

と訊ねたところ、

「いや、A組長と直接話したいんですわ」

との返事だった。

やむなくA組長が電話したところ、

「実は私どもで組長の手形を預かっとるんですわ」

との藪《やぶ》から棒の話である。

「ほう、私の？　誰が持ちこんだんですかね？」

「おたくに○○さんというかたがいやはりましたな？」

「いましたよ。古い先輩にあたる人ですが、少し前に破門になりましたよ」

「いや、そう聞いたもので、A組長にこの件でお会いしたいんです」

「ああ、そうですか。実はいま私は風邪ひいてましてね。ヤクザが風邪ひいたとか病気だとかいいたくないけど、事実なもんだからね。いま三十八度の熱があるんだけど、それでもすぐに来てくれというなら行きますがね。けど、話を聞くと、一刻を争う問題でもないと思うし、風邪を治してからでも遅くはないと思うが、どう思うかな？」

明らかにA組長に分の悪い話を持ちこまれているにもかかわらず、相手に主導権をすべて握らせるのではなく、

「どう思うかな？」

とは、どう考えてもA組長のペースであろう。すでにこの段階から掛けあいは始まっているわけで、どんなに不利な状況であっても決して精神的に遅れをとらないことが肝心だという。

「ああ、それで結構です」

と相手が答えたのでA組長も、

「じゃあ、風邪が治ったら私のほうから電話します」

と約束した。

三日後、風邪も治り、A組長は先方と連絡をとり、都内のホテルロビーで落ちあった。

A組長が一人で赴いたところ、先方はB組若頭補佐のほかにもう一人、サングラスをかけ見るからにゴツい相棒を連れてきていた。

二人が名刺を出そうとするので、A組長、

「いや、ちょっと待ってください。私は別に名刺を忘れてきたわけじゃないですが、いい話ならともかく、あまりいい話じゃないようですから、名刺交換はやめませんか。お互い、名前は知ってるわけですし……」

と提案すると、

「わかりました。ただ、こっちは一応出してしもとるんで、受けとってもらえまへんか」

というのに、

「それは構わないですよ」

とA組長は相手の名刺だけを受けとり、自分は、「Z一家のAです」と名のったに留めた。このあたりもA組長のペースで進んでいるわけである。

相手のB組若頭補佐のほうは、物腰も言葉づかいも紳士風、もう一人のサングラスは若頭補佐の舎弟にあたり、どこから見てもヤクザそのものというスタイルだった。

「おいコラ!」の威嚇《いかく》役と「まあまあ」のなだめ役のセットであるのは間違いなく、こういう掛けあいの場ではいままで絶妙のコンビネーションを発揮してきたのであろう——とは、A組長にもすぐに見てとれた。

「さっそくでっけど、この手形、見覚えありまへんか」

相手はただちに用件に入り、手形を二枚出してきた。

「ああ、私のですよ」

「これ、裏を見とくんなはれ。おたくらの先輩でっしゃろ」

「ええ、先輩です」

「額面七百万と五百万のが二枚あって、千二百万ですわ。金利もたまっとるんやけど、それはええでっから、千二百万、耳をそろえて支払ってくれまへんか」

要するにA組長の手形を使ってB組から千二百万円の借金をしていたZ一家の先輩が、何か不始末をして一家から破門となり行方知れずとなったことで、A組長にケツ(責任)がまわってきたというわけである。A組長にとって、およそ十のうち一つも分のない話で、〇対十で不利という局面での掛けあいであった。

「えっ、何ていったんですか?」

A組長は聞こえない振りをして、もう少し相手を探ることにした。

「だから、七百と五百で千二百、金利で計算すると、実は千八百になるんだすわ。六百はええから、千二百万払ってくれといっとるんですわ。これ、おたくが責任とらならん立場と違《ちゃ》いますか」

「どういう意味ですか?」

「どういう意味も何も、おたくが振りだした手形でっしゃろ」

「確かに私が銀行と契約して当座を組んだ手形ですが、おたくらとは契約してませんよ。私が振りだしたわけでもない。私がおたくんとこへ持ちこみましたか？　うちの先輩が持ちこんだもんでしょ」

「ワシらは債権取りたてに来たんじゃないんでっせ。うちが貸しつけたカネを返してくれいうとるんですわ」

「これは何年前に遡《さかのぼ》る話ですか？」

「二年前だすわ」

「そうですか。じゃあ、その先輩、まだ現役の時分ですな」

「せやから、ワシらも、Z一家さんでちゃんとした肩書きのある人やから、カネもお貸ししたんだすわ」

「それで結局、私に何を求めてるんですか？」

A組長ののらりくらりとした受け答えに、先方も少々いらつきだした。

「何を求めてるって、カネを払ってくれいうとるんですわ。手形があんたの名になっとるんやさかいな」

「ああ、そうですか。それなら、ひとつ聞きたい。実はこうこうこういうわけで手形が来てるんだけど、A組長は承諾してますか——と私に一回でも確認の連絡をしてくれましたか？」

「いやあ、そらしてまへん。だいたいやな、天下のZ一家のそれなりの人が持ちこんだもんを、確認するなんて失礼なこと、ようでけまへんわ。まして、おたくらとは親戚筋にも当たるわけやしな」

敵もさる者である。

「ほう、それはお気遣いありがとうございます。ただ、親しき仲にも礼儀ありという言葉もあるし、韓国には、身内にカネを借すなということわざもあります。そういうことははっきりしておくのが私の考えですよ……」

そのとき、B組若頭補佐の隣りにすわっていたサングラスが、兄貴分とA組長とのまどろっこしいやりとりに我慢できなくなったのか、やおら、

「だからなあ、組長よお——」

と、身をのりだしてA組長を指さしてねめつけ、口をはさもうとした。

A組長はそれを制して、

「ちょっと待ってください。おたくは何かサングラスをかけて私を威嚇してるみたい

だけど、私はおたくにそうやって『組長よ』と指さされながらカマシいれられる覚えはないですよ。これ、私らにカネを支払いしてくれという話でしょ。あなたはそうじゃなくて、喧嘩を売りにきてるようだから、それならおカネの話は別にして、そっちの方面で話しましょうよ。というより、そっちの方向で行くということなら話しあいする必要ないじゃないですか。私は帰りますよ」

組長は相手の非をついて席を立とうとした。ハッタリでも何でもなく、もとよりそうした最悪の事態を想定して肚を括ってきていたのがA組長である。

それを見てあわてたB組若頭補佐は、A組長をなだめ、返す刀で、舎弟のサングラスを、

「おまえは黙ってろ！」

と叱りつけた。

この時点で、〇対十と一方的だった天秤は、ややA組長のほうにも傾きだし、二対八もしくは三対七ぐらいの比率にはなったであろうか。とはいえ、まだまだ一方的に不利な形勢であることに変わりはなかった。

そのため、B組若頭補佐は自信満々の余裕を見せて、

「まあ、なんにせよ、A組長、これは世間様が見ても法律からいっても、組長が払わならんもんです。それが筋でっしゃろ。裁判でも通りまへんで」

と迫った。

「そうですよね。確かにおっしゃる通りです。ただし、ひとつだけ違うところがある、と私は思いますよ」

とA組長、あくまで落ち着いている。

「えっ、何がでっか？」

自分らのいいぶんが一〇〇％正しいと思っているB組若頭補佐たちに、A組長の静かな逆襲が開始される。

「私らが何者かっていうことですよ。私らがカタギさんのことで依頼を受けて、たとえばゼネコンでもいい、企業同士がどうこう、弁護士云々ということであれば、表社会の話を含めてもいいけど、まったくのアウトロー同士がカネの貸し借りをやって、それで法律がどうの世間様がどうのという言葉を使うのはおかしいでしょ。あなたがたは最初に私のとこへ電話してきた時点で、B組若頭補佐と名のってるじゃないですか。会社名使ってないでしょ。これはもうヤクザ同士の話ですよ。それを法律だとか裁判だなんて、ヤクザが使う言葉じゃないでしょ。あなたが法だなんていうんなら、私もアカ抜けないことといいますよ。私はあの先輩に手形を貸した覚えなどない。勝手に持っていったもんですよ。パクられた手形ですよ」

A組長の話に、

「えっ、渡したんやないんでっか」

と相手は驚いたようだった。

「私は渡してないですよ。確かにこれは私の名義にはなってるけど、Z一家で使ってるもんです。そのことはおたくたちも把握してたと思うんですが、どうなんです？」

「……いや、把握してましたよ」

「もうひとついわせてもらうとね、おたくらと私の違いというのは、今度の一件、あなたがたは二年前から知っており、私はつい三日前に初めて知ったことですよ。それが何の関係があるんだといわれれば、それはあなたがたのいいぶんであって、私には大いに関係がある。うちの先輩も、半年前から金利が滞っただけであって、それまでの一年半はずっと払ってたわけだからね。あなたがたにも、もし、その先輩が払えなくなっても、表書きのA――私のところへケツを持っていけばいいという計算があったでしょ。うちの先輩も金利に納得して借りたんだから、そこまでは納得しましょ。けど、それを私に押しつけるというのは、どう考えても間違ってると思いますよ」

A組長は一気呵成《いっきかせい》にぶちあげた。もはや一歩も引く気はなかった。

先方も最前までの余裕ある態度は消え、緊張してA組長の次の言葉を待っている。

「あなたがたが最初から代紋を出し、組名を名のった。ヤクザ同士の話である以上、たとえ私はこの千二百万円を百二十万にする、いや、一万二千円にするといわれても、払うつもりは毛頭ありませんよ。払えないんじゃないですよ。払わないんですよ」

ときっぱりいいきったから、サングラスが、

「何ィ!」

といきりたった。

A組長は黙ってその眼を見返し、B組若頭補佐が再び、「黙ってろ」と押さえながら、

「じゃあ、ワシら、どうすればええんでっか? 誰と話せばええんでっか?」

「一家に持っていく話じゃないと思いますよ。破門になってる人ですからね。あとは本人探すのが一番いいんじゃないですか。実は私も探してるんですわ」

「ほう、おたくも探しとる？　やっぱりそうといかれてまんのか」

「いや、私の場合、小さい金額ですけどね。私が探してるというのは、その先輩にはお世話になりましたからね。安否を気づかってるんですよ」

「はあ……」

どうやら相手は拍子抜けしたようだった。もはや完全にA組長のペースである。

「そういうわけで、結論はいま申しました通りです。この件に関してはあとは何も申すことはありません。じゃあ、私はこれで帰ります」

A組長はゆっくりと席を立った。相手は二人ともすっかり気を呑まれたような感じになっている。

堂々と立ち去ろうとしているA組長の背に、若頭補佐が声をかけた。

「やっぱりあんたは噂通りの人でんな」

「はあ」A組長が振り返った。

「いやあ、今日はお手並み拝見させてもらいましたわ」

「それはいい意味でいわれてるんですか」

「もちろんどすわ」

「それはありがとうございます」

まるで映画のワンシーンである。

掛けあいにおいて、最悪の事態（抗争）に持ちこまずに収めるには、決して最悪の事態を恐れずに肚を括ることが大事であるというわけだ。ビジネスの世界でも充分当てはまることであろう。

五　口下手、必ずしも交渉下手にあらず

——口が上手けりゃいいというものではない

それでは、掛けあいというのは、弁が立つ者、口の上手い者ほど有利で、口下手《くちべた》な者はダメということになるのだろうか。

一見すると、それは真理のようにも見受けられるのだが、

「いや、必ずしもそうではない。だいたいヤクザ者に弁が立つ人間なんてあんまりいませんよ。逆に喋るのはまったく苦手で口下手という人のほうがはるかに多いですよ。ヤクザは昔からよけいなことは喋るもんじゃないと教えられてきて、それが代々この世界の伝統になってる。いまは変わってきてるかも知れないけど、昔はヤクザ者でおしゃべりなヤツはバカにされるというか、貫禄を疑われた。とくに九州のほうじゃ、口の上手い人間は〝アゴが立つ〟といって、いまひとつ信用されないというふうにも

聞く。それに口下手なヤクザが、こと掛けあいとなったら、まるで別人になってね、相手を圧倒して一歩も引かないなんてケースはよくありますよ。ヤクザの世界じゃ、掛けあいと口の上手い、下手は、あまり関係がないんだね」(関東の組関係者)

それはたとえば、こと喧嘩の掛けあいとなったら天下一品、その右に出る者がいなかったといわれるほどすごかった〝赤坂の天皇〟こと住吉会の浜本政吉親分でも、普段は決して弁が達者ということはなかったという。

あるいはまったく無口で訥弁《とつべん》、おまけにこみいった話をするときにはつっかかってしまうようなヤクザ者が、掛けあいとなると、これが同一人物かと思われるくらい流《りゅう》暢《ちょう》な啖呵に変わってしまう者もいるというから不思議である。

「やっぱり掛けあいというのは、喋りの上手い下手じゃなくて、胆力、気合いでもあるし、なんでもそうだけど、場慣れでもあるんですよ。パッとすわった瞬間、威圧感じる男というのはいるんですよ。こりゃ、手ごわいな、と。兵隊をたくさん連れてきてるからじゃなくて、その人間自体が場慣れしてるんですよ。弁の立つヤツ、口の達者なヤツというのは、関西の人間に多いんだけど、別に彼らが手ごわいとは思わないし、私はちゃんと彼らの攻略法も持ってるから」

とは関東の広域系三次団体組長だ。

彼らはとくに二対八ぐらいの分の悪い掛けあいのときに出てくることが多く、得意の弁舌でまくしたて、二対八を五分五分にまでひっくり返そうと目論むのだという。しかも、八の分の悪い話にはいっさい触れず、自分たちの十のうちの二しか正当性のない話ばかり繰り返すことになる。

「そやからな、この件はこうでっしゃろ。そしたらこうなりまんがな。わかりますやろ……」

云々《うんぬん》とそのことを話し続けることになるという。

「だいたい口が達者だと思ったら、相手にいいたいことをいわせるんです。黙って聞いておく。で、相手にあわせる。そう、そう、そうです、その通り、おたくのおっしゃる通りです、と。相手の周波数にも心理にもあわせる。こっちが口が上手い必要は少しもない。むしろ、聞き上手になってやる。相手にいかに喋らせるかということですよ」

要は相手と同じ土俵にあがらないということが肝心なのだ。

組長が続ける。

「あくまで十のうち二分のいい分しかないんだから、時間にして十分もない。壊れたレコードみたいにリピート、リピート。その二分をずっと喋り続けてるだけ。口の達者なヤツといいあいをしちゃダメ。こっちのちょっとした言葉のミステークで、あげ足とられるからね。関西系の場慣れしてるヤツは、そういうところ冷静に判断して、パッパッとあげ足とることばかり考えてますよ。だから、こっちは喋らずに相手にいわせる」

それでも、そうそう、その通り、おたくのいう通りです——なんてことを続けているうちに、さすがに相手も気がついて、

「ワリャア、おちょくってるのか！」

と怒りだす者も出てくるという。

そうなったらしめたもの、逆にこの組長のペースになるというから、前節のA組長と似ていよう。そのときこそ、ここぞとばかりにバーンと逆襲にうって出るというのだ。

「あんた、喧嘩しにきたのか、ゼニとりにきたのか、話しあいにきたのか、どっちなんだ。話しあいだっていうからオレはこうやってきてるんですよ。それを『おちょく

ってるのか！』なんていうんだったら、喧嘩売りにきたことになりますよ。だから、もうおたくは黙っていたほうがいいんじゃないの」

ここに至って、十のうち二分あった相手の理も、粉々にくだけ散ってしまうわけである。

「相手に全部喋らせて、こっちは物をいわないとなると、何を考えてるかわからないから、連中はマニュアル通りにいかなくなるんだね。彼らは交渉ごとにマニュアルを持ってるんですよ。関西系の弱いところは、ハンドルを握ってうまくいってるときは操縦うまいんだけど、いったん操縦不可能になるとどうにもならなくなる。彼らにいかに自分らの心理・心境を読まれないようにするか。いいあいしちゃダメですよ」（前出の組長）

掛けあいによっては口下手で無口な者のほうがグンと有利に事が運ぶケースが出てくるわけである。だいたい七分三分で有利な状況なら下手に物を喋らないほうがいい場面であろう。つい余計なひと言をいったばっかりに、形勢が五分五分、あるいはひっくり返されたなんてことにもなりかねない。

「掛けあいで、よう口のまわる、弁の立つヤツが出てきたときと、その反対に、まるでよう物もいわんヤツが出てきた場合とどっちがやりにくいかといったら、物いわんヤツですよ。いったい何を考えてるのか、無気味このうえない。カマシ役でもない、ただ、じいっとすわって話を聞いてるだけの男。こういう相手が一番手ごわいですよ。こういうヤツに出てこられると、こっちのペースがかき乱されて話もうまくいかなかったりするんだね」（都内の組関係者）

実際、ヤクザ社会には驚くほど無口な人はいるものだ。きわめつきは筆者がかつて組事務所へ取材に行ったとき、およそ二時間の取材のなかで、他のよく喋ってくれる幹部のなかに交じって、ひと言も喋らなかった人物。寡黙などという域を超えているのだ。

その人もれっきとした幹部なのだが、他の幹部がその人をさしてこういったときには仰天したものだ。

「この人は御覧のように無口な人でね。必要なこと以外いっさい喋らんのですわ。けど、こと稼業の掛けあいとなったら、うちではまずこの人に敵う者はいませんわ。なにしろ筋の通ったことしかいいませんから、相手はぐうの音も出ないくらいやりこめられて、参ったということになりますわ。頑固な人でね、一歩も引きません」

その幹部が掛けあいの場で、丁々発止とやりあっている姿などとても想像がつかなかった。それほど無口で静かな人だった。一見すると、まるでヤクザらしくないのである。

つまりは掛けあいこそヤクザの性根が試され、その本性が見える場であるということであろうか。

「要するに掛けあいというのは、口が上手けりゃいいってもんじゃないということだね。えてしていらんことをいって墓穴を掘ってしまうのは、そういう多弁の男だよ。かといって、物もよう喋れんヤツに、大事な掛けあいは任されん。まして、喧嘩しようっていう掛けあいならともかく、こっちが分が悪いうえに、なるたけ喧嘩にならんようにしようという掛けあいなら、なおさらそれなりにちゃんと筋道立てて物が喋れるヤツでないとあかん。これからのヤクザは難しいよ。昔みたいに、物がいえなくても喧嘩できりゃいいというスタイルじゃ通用しないからね。内々では寄りあいや会議の連続、対外的にも何かといえば話しあいだ。もう喋れんヤクザじゃっとまらんということだね」(消息通)

むろん、喋れるだけの口八丁男にヤクザがつとまるわけもない。喋りすぎてもいけないが、かといってこれからは喋れなくては出世に立ち遅れるという。やはり馬鹿でなれず、利口でなれず、中途半端じゃなおなれず——という難しい世界には違いない。

六　相手のミスは徹底的に突く

二十代で上京して以来、東京で長い間渡世を張ってきた四十代のT組長は、最初の組が解散して以来、どこの組織にも属さない一本どっこの生活が長かった。それなりに若い衆を抱え、都内で他の大きな代紋に伍《ご》して潰されずにヤクザ渡世を張ってきたのだからたいしたものだった。

そのT組長、五年ほど前、ようやく親分を持ち、長い一本どっこの暮らしにおさらばした。縁があって生まれ故郷の北海道に本拠を持つK組長の盃を受けたのだ。

K組長は広域組織A会の二次団体B組のナンバー2で、三次団体K組をひきいる実力者であった。

このK組長の盃を受けたT組長、それからしばらくしてK組東京事務所責任者となった。いままでのT組組長というシンプルな肩書きが、A会B組K組東京事務所責任者T組組長——といっぺんに長くなったわけである。

そのころ、T組長は知人の社長を通して債権取りたての依頼を受けた。知人の社長に連れられ、事務所にやってきたのはOという会社社長で、ある人間に貸した五百万円、期限が過ぎても返ってこないので取りたててほしいというのだ。

「額が少ないけど、今後のつきあいもあるので引き受けてやったんだ。そのOを紹介した知人の社長とは、当時、彼を保証人にして銀行から何億円引っ張ってくるという話もあったほどで、いいつきあいをしてたしね」

とT組長、このとき初対面のO社長と名刺交換をして、組の代紋のついたヤクザのほうと、自分が経営している会社の名刺と両方を渡した。

「けど、その後、待てど暮らせど社長から連絡がない。おかしいなと思っていたけど、こっちもあっちこっちに電話して準備していた。で、一週間経っても連絡がないんでこっちから電話したんだ。そしたら、もうカネは返ってきたんだと。おいおい、そりゃないだろう。それならそれでこっちにすぐに連絡するか、挨拶にくるのが筋ってもんだろ。ヤクザを舐めすぎてるのにも程があるよ」

当然ながらT組長は怒り、一発かました。

「どうすればいいんですか?」

恐る恐る訊ねるO社長。

「そんなことは常識で考えろ。いいか、オレはゼニを出せなんてケチなことをいってんじゃねえぞ。人に物を頼んどいて、解決したからってあとは知らんぷりというのは、おまえ、そんな話、どこの世界で通用するんだ、コラッ!」

T組長の見幕に恐れをなしたO社長、今度は都内の別組織M組に泣きついてしまった。

事の顚末をいっさい省《はぶ》いて、ヤクザ者に脅されているということしかいわないO社長の話を真に受けたM組も不用意だった。しかも、電話でのやりとりで、

「そいつは何という組の何ていう人間ですか?」

とM組。

「はい。名刺にはA会B組K組東京事務所責任者T組組長とありますが」

とO社長が答えると、M組は、

「A会? なんだ、うちと同じ代紋じゃないか。こっちで調べますから待っててくだ

さい」

と電話を切った。それから間もなくしてO社長のもとにM組から電話が入った。

「O社長、そいつは騙《かた》りですよ。ヤクザじゃないですよ。私らと同じA会というなら、関東ブロックの名簿に名前が載ってなきゃならんのに、そいつの名前は影も形も見えやしない。真っ赤なニセ者ですよ。私らが話つけてやりますから、心配いりませんよ」

実はこのとき、T組長、K組東京事務所責任者になったばかりで、古いA会関東ブロック名簿には名前が記載されていなかった。むろんT組長のことはA会本部には承認済みのことで、騙りでも何でもなかった。調べればすぐにわかることなのに、ろくに調べなかったM組の最初の大きなミスだった。

そうとは知らないO社長、M組の報告を聞くや、よほど安心したのか、

「ヤロー、やっぱりそうか。騙りヤローだったんだな。クソッ!」

とT組長から受けとった名刺をビリビリに破いてしまった。

T組長は、O社長の代理としてM組が出てきたことで不快感はピークに達した。と同時に、シノギのネタが飛びこんできたことで、内心で舌なめずりした。

「O本人がひと言詫びに来りゃ許してやろうと思ったのに、おたくら稼業の人間が来たとなりゃ、話は別だ。よし、わかった。もうここからはおたくらとの話だな。とことん話をしようじゃないか」

M組幹部はT組長と会ってすぐに自分らのミスに気づき、〈こいつは騙りどころか、ヤクザもヤクザ、しかもこういう場面に場慣れしてる百戦錬磨の男じゃないか〉と思い知ることになる。なにしろ激戦区の東京で長い間一本どっこを張ってきた男がT組長である。

しかも、O社長から聞いていたこととは違って、事実はほぼ一〇〇%O社長のほうに非がある話と知って、M組幹部はホゾをかんだ。

「うちもおたくらが出てきたことでひっこみがつかなくなりましたわ。若い衆が一週間何かと動いた分、一本、O社長に明日まで用意してもらえればそれでよし、としますよ。それと、あのバカ社長に渡した私の名刺も返してもらわなければなりませんな。二度とつきあいたくない相手ですから」

一本とは百万円のことで、それで今度の一件はなかったことにしてやるというのだ。

M組もそれで引きさがらざるを得なかった。こんなバカバカしいことで、T組と喧嘩するわけにはいかなかったからだ。

翌日、M組幹部はO社長から受けとった百万円とT組長の名刺とを持って、再びT組事務所へと赴いた。

ここでM組はとり返しのつかない致命的なミスをやらかしてしまう。まさかO社長が破いたままの名刺を返そうとは夢にも思っていないから、封筒の中の名刺を改めもしなかった。

O社長、いってみれば超ド級のバカか、ヤクザ用語でいう〝ノーヅラ〟のきわめつきの男だった。ノーヅラというのは、鉄面皮というか、何においても無頓着なヤツ、カエルのツラにションベン——というような意味である。

T組長もまさかそこまでの事態を予測して名刺を返せといったわけではないのだが、あとで考えると、

「何が幸いするかわからんもんだなあ。それにしても、世の中にはOみたいな信じられないようなバカもいるんだ」

と思うしかなかった。こんなきわめつきのノーヅラのO社長とめぐりあったM組こ

そいツラの皮であったろう。

封筒を開いて、O社長から返してもらった自分の名刺を見たT組長は、思わずわが目を疑い、

「何だ、こりゃあ……」

と唖然となった。名刺がビリビリに破かれているのだ。

M組幹部二人もあまりのことに目を丸くし、真っ青になっている。さすがにノーツラのO社長と違って、事の重大さが即座に理解できたのだ。

T組長、破かれた名刺を手に声を張りあげた。

「こりゃ、ひどい。ちょうど代紋のところが破かれてあるじゃねえか。てめえら、上等だ！　これは宣戦布告と考えていいんだな。面白え。うちがどんな喧嘩をするか、見せてやろうじゃないか！」

T組長の怒りはM組幹部に向けられ、事務所にいた若い衆もいっせいに色めきたった。

「ちょっ、ちょっと待ってくれ。これはいま自分らも初めて知ったことだ。まさか名刺がこんなになってるなんて、自分らは思ってもみなかった……」

M組幹部がしどろもどろに弁明する。自分たちに一分の道理もないことはわかりすぎるほどわかっていた。O社長を信用したばかりに考えられないようなミスであった。

「そんな話が通用するか！　命より大事な代紋をこんなにされたらどうなるか、おまえらが一番よく知ってるだろ！」

T組長がここぞとばかりに攻めたてる。このミスをつかずになんでオレがヤクザやっていられるんだ——と、T組長は内心で快哉《かいさい》を叫んだ。

「………」

相手はもはや申し開きする余地さえない。ごめんなさい——と詫びる以外にない話なのだ。

「さあ、このケジメはどうつけるんだ。なんなら、あんたらの上へ持っていってもいいんだぜ」

T組長は相手を追いつめながら、O社長のヤクザ以上の非常識さ加減に改めて思いを馳せた。名刺を返せといわれて、こんな名刺を返したら、相手がヤクザでなくても、誰であっても侮辱《ぶじょく》されたと怒るのは当たり前だ。

破いてしまったのなら破いてしまったで、

「うっかり名刺を入れたまま服を洗濯に出してしまいました」

とごまかすか、いや、あえてそんなことをいう必要もない、

「些少《さしょう》ですが、これは名刺代です」

と三十万円も出しておけば、何ら問題はなかったではないか。それが組同士の抗争事件にまで発展しかねない事態になり、最終的にはT組はM組からきっちりオトシマエをとって一件落着となった。

むろん、このO社長、もはや詫びて済む話ではなくなった。その後、M組からどのようなケジメをとられたか。それはM組がT組に払った代償以上のもので、O社長、会社の何もかもを失う結果になったという話も伝わっている。

七　互いの立場を尊重すれば交渉はまとまる

関東ヤクザ界にとって、かつてないような最大のピンチともいえる時期が訪れたのは、二十一世紀を迎えた早々、平成十三年夏のことであっただろう。

東京・葛飾の斎場において、住吉会系幹部の通夜が営まれていた最中、住吉会の執行部をつとめる最高幹部二人が射殺される事件が起きたのだ。しかも、ヒットマンは稲川会最高幹部がひきいる一家に所属する組織の幹部と組員であった。

住吉会と稲川会といえば、関東二大組織であり、関東二十日会のリーダーシップをとる両輪ともいえた。

「これはもうヘタしたら稲川会と住吉会の全面戦争になるのではないか。そんなことになったら、かつての山一抗争のような、血で血を洗う最悪で最大規模のものになってしまうだろう」

と危惧する声が大きかったのは無理もない。

組本部の最高幹部が他組織の者に一挙に二人も射殺されるという前代未聞の事件が起きたのだ。しかも、通夜という義理場であり、ヤクザ社会にとってある種のタブーとされる場所で襲撃が行なわれたという衝撃ははかりしれなかった。

もはやこのままで済むとは誰にも思えなかったし、やられた側の怒りの大きさを考えれば、これを何事もなく収めることは到底不可能と見られた。

「関東で一番力のある組織同士が喧嘩の当事者になってるわけだからね。どうやってこれを収拾できるのか、いったい間に入れる人がいるのかということを考えたとき、とてもこれは無理だな——と誰もが考えざるを得なかった。いったいこれから先、どんなふうになっていくのか、最悪の事態しか思い浮かばず、暗澹《あんたん》たる気持になった関係者も多かったと思う」（消息通）

ところが、奇蹟は起き、たちどころに両者の話しあいはつき、懸念される事態には発展しなかった。それどころか、報復のための一発の拳銃発砲音さえ鳴らず、一滴の血も流れなかった。

改めて見直されたのは、関東ヤクザ界の首脳部の大人の処しかたというか、その度量の大きさ、統率力、平和共存路線の徹底ぶり……といったことであろうか。まさに互いの立場を尊重しあっての話しあい、交渉が功を奏した結果であろう。

「ふつうならやってはいけないといわれても必ず暴走する若い者、暴発する連中は出てくるもんだ。まして今回のような異常な事件となればなおさらだ。それがまったく起きなかったのは、絶対やるなと押さえた上の者の統率力の見事さというしかない」

(事情通)

事件後間もなくして話しあいがついた分、双方ともに払った犠牲は大きかった。結果的に襲撃した側も、最高幹部二人を失うことになったのである。ヒットマンを出した一家をひきいる最高幹部は絶縁、一家は抹消されたばかりか、会本部のもう一人の最高幹部も引退という結末を迎えたのである。

二人とも関東ヤクザ界屈指の実力者であり、大物総長であっただけに、会本部としての痛手は大きく、事件の責任のとりかたとしては相手がたを納得させるに充分な、誠意あるものだったとされる。

「素人のなかには、片方は最高幹部が二人も殺されてるのに、相手がたは絶縁と引退というだけでたいしたこととは思えない、それでバランスはとれるのか——なんてことをいう者もいる。とんでもない。絶縁というのはほぼヤクザ生命を失うことだし、引退にしたって、今回のような引退の形は、武士の切腹も同然の所作。大変な責任のとりかたですよ。これからという一番いいときの引退なんだからね。苦渋の決断だったでしょ」（消息通）

この関東ヤクザ界の未曾有の危機を乗りきった背景には、トップや最高幹部のこうした思いきった決断もあったわけである。そんなケジメのつけかたを尊重したればこそ、困難な話しあいもまとまり、最悪の事態は免れたのであろう。

どんな交渉であれ、互いの立場を尊重しなければ、話しあいなどまとまるわけがない。

たとえば、一方は、

「このヤロー、てめえらが悪いんだ。このオトシマエをどうしてくれるんだ」

の一点張り、それに対して片方は、

「起きたことはしようがないだろ。いまさら謝まってもどうにかなるもんでもないだろうから、どうにでもしてくれ」

と開き直ったのでは、これはもう双方が交渉のテーブルに就くこともままなるまい。

「いくら相手のほうが悪く、こっちが八分から九分くらい理がある掛けあいといったって、相手がそれなりの人が出てきて、謝罪の姿勢を示しているのに対し、威丈高に『どうしてくれるんだ！』なんてことばかりいってたんでは、相手の面子も形無しでね、さらに最悪の事態が起きますよ。この世界は一寸先は闇、いつ立場が逆転して、今度はこっちが八分九分がた悪いという状況にならないとも限らないんだからね。まず相手の苦しい胸の内、痛みも知ってやらないとね……」（関東の組関係者）

いまは昔と違って、たとえば、豪傑親分がいて、自分のところが圧倒的に分が悪い交渉ごとをひっくり返したからといって、喝采を浴びる時代ではないという。

「組織間の交渉ならなおさらでね。そりゃ昔なら、うちの親分、たいしたもんだ、九割九分分が悪い掛けあいをひっくり返した——で通ったんだろうけど、いまは逆にそんな話がまかり通ったら、あそこは少々やりすぎじゃないか、あこぎすぎないかということになりかねない。情報はすぐに伝わりますからね。身内だって、これでいいのか、とかえって不安になりますよ。とくに関東は是は是、非は非という考えかたが浸透していて、何が何でも力で押し通すという時代ではなくなってるから。和をもって

やらないことには、世間様に潰されますよ」（前出の組関係者）
たとえば、喧嘩の掛けあいでなくてもいい。〃地上げ〃ひとつとっても、イヤガラセや脅迫まがいの言辞を吐き、挙句はダンプカーで突っこんだり、火をつけたりするのでは、これはもう交渉以前の問題で、犯罪でしかあるまい。
かつて地上げで成功したヤクザというのは、決してそうした暴力だけを背景にして事を推し進めていたわけではなかった。力一点ばりの押しだけではなく、交渉のなかに相手側のいいぶんをぎりぎりまで取りいれ、サジを投げずに最後まで執拗な交渉を重ねているケースが多かった。
「札束攻勢でも立ちのかない相手には、家族構成まで調べあげ、老人所帯には郊外の陽あたりのいい土地を、子どものいるところには教育環境の行き届いた地域を代替地として探してあげるヤツもいた」（消息通）
こうした相手の立場を慮《おもんぱか》るやりかたが、充分相手にも伝わり、地上げ成功へと結びついたのであろう。
「喧嘩を収めようっていうときの交渉には、やはりお互いにそれ相応の年季を積んだ者が出てくるわけですよ。この稼業で長いこと修業を積んで酸いも甘いもかみ分けた人物が出てくるもんです。互いの立場を尊重しあってこその交渉ですからね。仮に相手のほうが悪くても、相手が済まなかったと頭をさげてきてるとなれば、その意を汲んでやらないことには話にならない。何だよ、なんてやってたんではまとまるものもまとまりません。相手の面子ということも考えてやらなきゃならない。それ相応の者が来てるということは、なんとか話しあいで収めたいと思ってきてるわけだからね。喧嘩をしようっていうときには、わけのわからないヤツが掛けあいに出てくるのがつねですよ」（関東の組関係者）

若い衆同士の間違いでも同じことである。とくに末端のほうの喧嘩となれば、血気盛んな者同士、いつなんどき、どんなささいなことから起きるかわからない。それがときにはきわめて突発的なことから、死者が出る間違いにまで発展するケースも往々にしてあるものだ。

それに対して、殺した側の上の者が、死者が出たほうの組にただちに駆けつけ、

「申しわけない」

と見舞い金を持ってきたら、相手側は、それでよしとする肚も必要だ、という。

「関東の場合、大概それで話がつきますね。ただ、その場合でも肝心なことは、気持

よく収めてやること。それをぶつくさいいながら、『今回だけは目をつぶってやる』だの、相手をなじりながら尊大な態度をとったり、いつまでも恩着せがましいことをいってたんではダメ。どっちにしたって収めるんなら、『まあまあ、手をあげてください。お互いさまなんですから』といってあくまで相手を立てるくらいの肚が必要なんだよ。そうでないと、『あそこの組は……』と禍根を残す。実際、お互いさまというのはその通りでね、いつ逆の立場になるかわからないんだから。だって、ヤクザやってるんだからね」（関東の二次団体幹部）

やはり互いの立場を尊重することが大事なのである。

八 いかに自分のペースに持っていくかが勝負の分かれ目となる

ヤクザの掛けあいもビジネスマンの契約も、つまるところはそう大差あるまい。気がついたときには、相手に、あれっ、どうしてこんなふうになってしまってるんだ――と思わしめるほど、終始、こっちのペースで事を進めることが肝心であり、交渉における勝負の分かれ目になるといってもいい。

都内に事務所を置く関東の広域系三次団体A組長の例を見てみよう。

あるとき、A組長は、関西の武闘派組織として知られる広域系二次団体Z組から、先輩の借金五千万円のことで追いこみをかけられたことがあった。

A組長に面会を求めてきたのは、Z組執行部をつとめる、それなりの大物B組長で、B組長はZ組東京支部長に道案内され、大阪から約三十人もの若い衆を連れてやってきた。落ちあった場所は、都内のシティホテルロビー喫茶室である。

B組長は余裕綽々の態度で扇子をパタパタやりながら、A組長を待ちうけていた。すでにこの時点から掛けあいは始まっているわけで、B組長は暗にA組長に対して、

「おたくなんか目やないわい」

という態度を見せつけているのだった。

A組長が席に着くと、B組長は水先案内人をつとめたZ組東京支部長に対して、

「支部長、御苦労さま。支部長は東京にいてるわけやし、こちらさんと今後もいろいろつきあう機会もあるやろから、やりづらいやろし、ワシもやりづらい。支部長、ここは席をはずしてもらえまっか」

といった。A組長に対して「こちらさん」扱いである。

「じゃあ、私は帰ります」

とZ組東京支部長が引きあげると、B組長、

「よっしゃ、うちの支部長も帰ったところで話をしようか。はい、これ、おたくんとこの○○さんが借りなはった五千万円の借用書。借りとるものは返してもらわなあきまへんな」

と、すぐに切りだした。それは確かにA組長の先輩が借りた五千万円の借用書に間違いなかった。もとより、A組長も前から知っていることだった。

が、それは先輩が直接Z組から借金しているものではなく、あるカタギの事業家Cから引っ張ったカネであった。つまり、その事業家の貸し主CからZ組が債権を譲り受けて取りたてにきたのである。

B組長は圧倒的に自分たちに有利な交渉とあって、最初からそういう態度を見せて話を推し進めていく。

「あんたな、Cから聞いたけど、いろいろいってくれとるらしいやないか。Z組が上等だとか、Z組だろうがいつでも喧嘩したるとか……」

相変わらず扇子をパタパタしながらいう。

A組長、いきなり先制パンチを食らった格好になったが、あわてず、

「誰がそんなこといいましたか？　いまや飛ぶ鳥を落とす勢いのZ組に向かって、上等だなんていえるヤツはいないでしょ」

と切り返した。実際はその通りいっていたのだが、とぼけた。

「あんた、そう思うかね」

「思いますよ。そういう話はどうしても尾ヒレがついてしまうもんですよ。そのCという人も、カネとってもらいたいばっかりにポンプいれたりするんでしょ。そりゃ、どう見たってあなたのほうが私より年も稼業のうえでも先輩だと思うから、ご存知のはずですよ。そういうことは経験あるんじゃないですか」

「まあ、ええけど、この借用書、おたくんとこの人のもんに間違いありまへんな」

「ええ、間違いないですよ」

「けど、あんた、こんな大金借金しときながら、債権をうちに譲渡するというCさんに、Z組上等だ、いつでも喧嘩したるなんてことがよういえまんな」

「だから、いってないっていってるじゃないですか」

それでもなおB組長がしつっこくいってくるので、A組長もとうとう肚を括った。

「よし、わかった。それほどオレがいってもいないことをいったっていうのなら、その通り一回やってみようじゃないか。どうもおたくはカネとるより戦争したがってるみたいだな。よろしい、やろうよ」

A組長の言葉に、B組長もいきりたち、

「上等じゃないか。ワシも帰るわ」

といったん腰をあげかけたものの、

「わかった。そうしましょ」

とA組長のあくまで本気の様子に、

「ちょっと待ちなよ。ワシもな、大阪から来て何がしかの答えをもらわなきゃ、帰れんわ」

と再び腰をおろした。

「いっとくけど、私は来てくださいと頼んでませんよ。新幹線のチケットも飛行機のチケットも送ってないし、招待もしていない」

「そりゃそうや、あんたのいう通り、ワシらが勝手に来たんや。せやけど、人に借りたカネ、返すんは当たり前やないか。それで仁義が通るんか。借りっ放しでええってか？　ええっ？」

B組長、A組長の先輩の悪口をワーワーいいだした。

「そりゃそうですな。おたくのいう通り、借りたものは返さなきゃなりませんよ。けど、やっぱり貸してくれた本人に返すのが普通ですよ」

「いつまでたっても返さんからと泣きついてきたCからうちが譲り受けたんやない

か」

「譲渡したって何したって、貸してくれた当人、そのCという人を連れてきてくれれば、私もそれなりの話をします。借りたカネは返す。それは世の中の方程式ですからね」

といいながら、A組長、すわっているソファーをバンバン叩きだした。

「何しとるんねん？」

A組長の突飛な行動に、B組長が訝《いぶか》った。

「こうして叩けば何が出るかわかりますか？」

「そんなもん、わかるわけないやろ」

「ホコリが出るでしょ。人間も一緒ですよ。叩いてホコリの出ない人間はいないでしょ。おたくの組長だってそうですよ。神様じゃないんだから何もかも完璧に生きてる人間はいませんよ」

「たとえ話でもうちの組長の名を出すのはやめてくれんか」

「それは失礼しました。けど、それならうちのトップだっていいですよ。若いころは人を泣かしたこともあるだろうし、借金をそのままにして返してないところもあると思う。立場ができると美化されて、過去のそんな汚点も全部消されてしまうもんです。決して完璧に生きてきたわけじゃない。うちの先輩だって、悪気があったわけじゃないと思う。けど、ここに借用書あるのは事実ですからね。だから、私はあなたがたではなく、その貸主のCさんとならいくらでもきちんと話をします、といってるんです」

「それじゃ、ワシらの立場はどうなるんや。わざわざ大阪から来てるんやで」

「だから、何度もいってるように、それはおたくらが勝手に来てるだけのことでしょ。借りたカネ、私は本人のCさんには返す用意はあるが、Z組経由では一銭も払わない。なぜなら、この私――Aが、Z組に追いこみを食らってカネを払ったとなると、それは歴史として残るからだ。それだったらカタギになりますよ」

A組長は一気にきっぱりといった。

「じゃあ、カタギになりゃええやないか」

B組長も負けじといい返した。

「だから、私はあなたがたには払わないから、カタギにはならない。ただ、借りたカネを返すのは当たり前だから、C本人とはいくらでも話はしますよ」

「どないしたらそんな話になるんや。ワシらが大阪から来とる意味がないって、さっきからいっとるやろ」

もはや話しあいは堂々めぐりであった。交渉は暗礁《あんしょう》に乗りあげた感じになった。気がつくと夜の十時になっており、双方が会ったのは夕方四時であったから、実に六時間もの間、延々とやりあっていたことになる。

「いやあ、疲れたなあ」

B組長が腕時計を見ていかにも大儀そうに首をまわした。それを見て、A組長が、

「――疲れたって……おたくが私を呼んどいて、それはないでしょ」

と相手をなじった。

考えてみれば、A組長のほうがずっと弱い立場であるはずなのに、交渉はどうかすると、終始A組長のペースで進められてきているようにも見受けられた。

当初は扇子をパタパタやりながら余裕たっぷりに交渉に臨んだB組長も、うってかわって疲労の色が濃く顔に表われていた。

「じゃあ、このままにしておくわけにはいかんから、Aさん、明日また会いましょ。朝十一時でどうでっしゃろな」

B組長がいうのに、A組長、

〈ああ、こりゃ、疲れて弱気になってきてるな〉

と瞬時に見てとった。

「わかりました。ここで明日の十一時に会いましょ」

と答えながら、さらに余裕が出てきて、軽口を叩きたくなった。

「となると、今日は東京に泊まりですね。どこにお泊まりですか」

と聞いてみた。すると、B組長は不快そうに、

「そんなことなんでいちいちあんたにいわなならんのや」

「いやあ、天下のZ組の大幹部は、どういうとこに泊まるのかと思いましてね」

「若い衆が決めることで、ワシはわからんわ」

「それじゃ、明日また……」

が、次の日、B組長は約束の場所に現われなかった。急用が入って昨夜のうちに車で大阪へ帰ったというのだ。それをA組長に伝えたのは、B組長に代わってやってきたB組副長であった。

A組長は機先を制して副長にビシッといった。

「ここでおたくの親分とは待ちあわせしたが、おたくとはした覚えがない。急用ができたというのなら、電話一本なり私に入れてその旨を伝え、代わりに副長を行かすから話をしてくれというのが筋だろ。おたくに答えは出せないよ」

副長は、

「いや、それではワシは大阪に帰れんわ」

と息まいた。

「じゃあ、ともかくいうが、一日では答えは出ない。今日は晴れたから払おうとか、雨降ったからやめようというレベルではない。それだけ重要な問題だということは、昨日、寝る前に考えてよくわかったよ。だから、一週間以内に、私が大阪に行きますわ。そのうえで、おたくの親分に直接答えを伝えよう。これが私の答えだ」

A組長の答えに、B組副長は首を横に振り、

「そんなもんじゃ帰れんわ。それやったら、昨日と同じじゃないか」

というので、A組長はホーという顔で、副長の目を見遣った。

「これは私が一日考えた結論ですよ。結果がそれだからしようがない。人間、いくら考えても答えが同じことだってあるでしょ」

いいつつA組長の顔が険しくなった。

A組長がこの日若い衆をいっぱい連れてきていたのは、場合によってはおまえら大阪に帰さないぞ——という意思表示であった。

「それとも何か、オレのいってることが不服なのかな」

いつのまにか、私がオレに変わっていた。A組長はさらに副長に、

「どうなのかな、返事をくれないか。不服なのか、OKか」

と迫った。

返事をくれ——ということ自体、A組長のペースで進んでいるのは間違いなく、B組副長もただならぬものを感じたのか、

「わかった。大阪へ必ず来るんやな」

と答えるよりなかった。

「男に二言はない」

五日後、A組長は約束通り大阪へ赴き、市内のホテルでB組長と待ちあわせした。

A組長は秘書と二人、B組長側は約十人である。

「約束は守ってくれはりましたな」

と B 組長。

「約束は約束ですから」

敵陣へ乗りこんでも、A 組長、少しも怯《ひる》んだ様子はない。

何だかんだと世間話を経て、Z 組大幹部の B 組長、

「さて、本題に入らせてもらいまっけど、答えはどんな按配《あんばい》ですかな」

といよいよ核心に入った。

A 組長、悠揚迫らぬ態度で、

「それなんですが、五日間考えても、やはり答えは一緒でした」

と答えた。

「えっ!?」

敵地に乗りこんで、この答え。B 組長をはじめ、側近の連中も、予期せぬ返事に驚きの声をあげた。よほど意外だったらしい。皆、啞然としている。

A 組長は落ち着いてこう続けた。

「同じことをいいます。Z 組経由では払えないし、払う気はありません。ただし、本人を呼んでくれれば私も考えます。借りたカネを返すのにやぶさかではないですから。

それが答えです。これで不服でしたら、話しあう必要はもうありませんよ」

A組長の弁に、B組長は「うーん」と考えこんだ。もはや恫喝《どうかつ》やハッタリ、こけ威《おど》しが通じる相手でないことはわかっていた。しばらく考えたあとで、ようやく口を開いた。

「わかった。じゃあ、Cをこっちへ呼ぶわ。いま、外国へ行っとるんでね。来たら、すぐまた連絡しますわ。まあ、二、三日中に呼べると思うんでね、それでええでっか」

「いいですよ」

A組長は何事もなくその日は秘書とともに東京へ引きあげた。

三日後に、B組長からA組長のもとへ電話が入った。

「明日、Cがこっちへ来るんやが、来てくれるかな」

Aは準備して待っていたことなので、

「行きましょう。あなたにとっても大事なことだし、私にとっても大事なことですから」

と答え、すぐそのあとで、三日前、大阪から帰ったときから考えていたことを口にした。

「それはそうと、できるならCさんとの話しあいの場、おたくの自宅にしてもらえませんかね？」

Aの提案に、Bは、

「何ででっか？」

と怪訝に思ったようだった。

「いやあ、この間、おっしゃってた自慢の豪邸を拝見させてもらいたいのと、ホテルや喫茶店で話すより、そのほうがいいと思いましてな。Cさんも遠路駆けつけてくれることでですし……」

とAは述べたが、もとより「Bの自宅で」というのは計算があってのことだった。敵陣も敵陣の真っ只中――敵の城へ乗りこむというのだから、何を好んで自ら不利な状況へ飛びこんでいくのか、と普通には思ってしまうが、そこにはAのしたたかな思惑があったのだ。

「それもそうやな。じゃあ、ワシの家にしようか。明日、大阪に着く時間、知らせてくれまっか。車、迎えに出すよって」

Aは秘書一人だけを連れて再び大阪に乗りこんだ。

B邸に着き、応接間に通されると、Bの他にすでにCも待っていた。

Aは開口一番、Bに、

「おたくの家で失礼だけど、席をちょっとはずしてもらえませんか。私、Cさんと二人で話したいですから」

と切りだした。

「えっ、そんなこといわれてもやな」

最後までAのペースで進むのに、さすがにBも鼻白《はなじろ》んだが、

「いや、もうこの期《ご》に及んで何もないですよ。借りたカネを返すという話なんだから、充分おたくの顔も立ったでしょ」

Aの言葉にBも納得し、

「よし、わかった。はずそう」

と別室へと消えていった。

AはCと二人きりになると、

「Cさん、単刀直入にいおう。うちの先輩が借りた五千万円、八年前の債権で時代も

時代だから、三千万円でどうだ。支払い方法は頭金を五百万、あとの二千五百万は十回払いで毎月二百五十万払う。私はあげさげしない。この条件を呑まないんだったら、話はなかったことにしよう。どうですか？」

ズバリ切りだした。Cはその条件に、

「はあ、ですが、私は五千万貸して、金利ももらってないんですよ」

と渋い顔をした。

「いや、それはわかる。それ、わかったうえで、私はいってるんですよ」

Aは押した。

「じゃあ、頭金の五百万はいつ払ってくれるんですか？」

「あんたがこの条件を呑めば、今日払うよ」

「え？」

Aは秘書を呼んで、カバンを持ってこさせた。そこから五百万円をとりだし、テーブルに載せた。しかも、切れるような新札である。

こうなると、人情として誰もが納得せざるを得ない心境になってくるのは不思議だった。

札束を目の前にして、Cは、

「わかりました」

と条件を呑んだ。

やがてCが辞し、入れかわりにB組長が顔を出した。

「話は終わりました。どういう話になったかはCさん本人に聞いてもらいたい」

Aがいうのに、Bはうなずき、

「Aはんにはカオを立ててもらいましたなあ」

というのだった。これで一件落着となったのであった。

では、AはなぜB組長の自宅で話をすることを望んだのか。下手すれば、飛んで火に入る夏の虫にもなりかねなかったのではないか——とは、一般的な見方であろう。

いずれにしろ、こういう状況のなかで、敵陣営に飛びこんでいくことは誰もが避けたがるものだ。

それをA組長があえてしたのは、Z組がこのことで世間にあらぬことを振りまくのを防ぐためだった。たとえば、Z組が、

「Aを追いこんでカネをとってやったよ」

と誰彼となく吹聴《ふいちょう》したとする。すると、聞く側とのこんな会話になるだろう。

「へえ、どこで追いこんだの？」

「B会長の自宅だよ」

「へえ、じゃあ、さらったんだな」

「いや、さらったわけじゃないんだが、あいつが勝手に来たんだよ」

「えっ、それなら追いこんだことにはならないんじゃないの」

ということになるはずだった。となると、Z組もA組長を追いこんだとはいえなくなるわけだし、だいぶ事情が違うとは誰にもわかることであろう。

そこまで見越して、AはB組長宅での交渉を望んだのである。

相手側からすれば、片がついたあとで、

「やれやれ、カネもとってやったし、うちの面子も保てた。けど、何やらおかしいぞ。終わってみれば、万事むこうのペースで仕切られたような気がするな。あいつはたいしたもんやで」

とAの交渉力の凄みを認めざるを得なかった。

すべからく交渉は、肚を括って自分のペースに持ちこむことが肝心なのである。

九　これだけは譲れないという原理原則を貫くべきである

かつてヤクザ社会では、猛烈な勢いで広域組織による系列化・寡占《かせん》化が進行していた時期があった。地方の独立組織が丸ごと広域組織の傘下に入ったり、あるいは切り崩されて四分五裂したり、軒並み独立組織が消えていったのだ。

弱小組織が〝寄らば大樹の陰〟と好んで大きな代紋のカサを求めたのも確かだが、戦国時代の国盗りさながらの広域組織による怒濤の進攻もめざましかった。

そうした代紋替えが何の支障もなくスムーズにいったケースは稀で、その陰には流血抗争や、あやうくその一歩手前まで行きかけるようなことも数多く見られたものだ。

ある地方に、D連合会という独立組織があった。連合会とはいっても五団体から成る百人そこそこの組織だった。

その構成は、総長以下、会長—理事長—本部長—幹事長—組織委員長—事務局長という執行部から成っていて、創立は昭和初期、総長は五代目であった。

このD連合会と最も近い関係にあった広域組織が、関東に本部のあるA会だった。D連合会は先々代のときから何かとA会には世話になっており、当代のY総長も、A会会長には後見人になってもらっていた。

折も折、全国的に業界再編の嵐が吹き荒れていた時分であったから、D連合会の去就も注目されたが、当然ながらA会入りは確実と見られていた。

ところが、このD連合会顧問をつとめるSという男が、いつのころからか、関西広域組織C組の名うての直系組織E組E組長の舎弟の盃を受けていた。代紋違いの兄・舎弟である。S顧問はD連合会のY総長の兄貴分にあたる古株であった。

その縁でY総長もE組若頭と五分兄弟分の縁を結んでいた。

さて、そんななか、D連合会のA会入りが正式に決まりかけたとき、関西C組直参E組長から、Y総長とS顧問に、

「何もA会に行くことないだろ。オレとの縁を考えたらC組に来るのが本当じゃないか」

とプレッシャーがかかった。

S顧問はそれにただちに従い、

「わかりました。兄貴、任せてください。うちはまとめてC組に入るよう、私が責任をもってまとめますから」

とE組長に胸を叩いた。

かくしてS顧問の画策が始まったのだが、驚いたのはD連合会執行部である。

「Y総長とS顧問の動きがおかしい。A会ではなく、関西のC組へ行く動きをしてる」

と伝わってきたので、D連合会執行部のリーダーでナンバー2のL会長が、二人に直接話を聞くことにした。

「関西のC組に行こうとしてるのは本当ですか？」

「うん、オレはE組長の舎弟になってるし、来いといわれりゃ、行かなきゃならんだろ」

とS顧問がシレッと答える。それを聞いてL会長は、今度はY総長に、

「じゃあ、総長はどうなんですか？」

と訊いてみた。すると、

「いや、ワシもな、E組若頭の兄弟との縁もあるし、Sの兄貴もこういってることだしなあ……」

との答えに、内心で呆れ返り、

「何をいってるんですか、総長。私らはA会に行くのが筋です。A会の恩を忘れたんですか。総長も先代も先々代も、A会にはどれだけお世話になってきたことか。まして総長はA会会長には後見人になってもらってるじゃないですか。C組に行くのは私は絶対反対です」

と筋論をぶったが、二人の耳には入らないようだった。

だが、二人の誤算は、執行部は幹事長以外、すべて会長の意見に賛成で、Y総長やS顧問についていく者はいなかったことだ。

そこは連合会の悲しさで、普通なら総長の鶴のひと声ですべては決まるのだが、執行部のなかで総長と盃を交わしているのは、子飼いの若い衆である幹事長ただ一人、あとは誰も盃はなかった。L会長にとっても、Y総長は親分でも兄貴分でもなく、ただの先輩である。

そうした事情をE組長は何も知らなかったから、なかなか話が進まないのに業を煮やし、D連合会のS顧問に、

「おい、S、おまえ、責任をもってまとめるっていったはずだが、いったいどうなってるんだ」

といらだった。

「はい、兄貴、実はうちの連合会会長のLというものが強硬に反対してまして……それで話が前へ進まないような状況で……」

とS顧問が恐る恐る答えた。

「会長が反対してるって……アホか、おまえは。そいつはただのナンバー2なんだろ。Yはトップで、おまえはそのまた上の兄貴分じゃないか。おまえら二人がはっきり意思表示してる以上、そのLという男がいくら頑張ったってどうにもなるもんじゃないだろ」

とE組長がいうのも無理はなかった。

「よし、わかった。ワシのほうでLと話をしよう」

とE組長はいい、まず側近三人をL会長と交渉させることにした。こうしてL会長

とE組との掛けあいとなったのである。

L会長は一歩も引く気はなかった。たとえ天下のC組直参E組といえど、どう考えても筋はこっちにあるのだ。筋はヤクザにとっての原理原則である。筋に沿った話さえすればわかってもらえるだろうとの信念が、L会長にはあったのだ。

L会長はその原理原則を最大の武器とし、絶対に譲れない最後の一線として掛けあいに臨んだのだった。L会長は一人、相手はE組最高首脳三人である。

E組本部長がいきなり切りだした。

「S顧問はともかく、Y総長がうちに入りたいといってくれてる。それを頑強に拒んでる急先鋒がおたくと聞いてるが、あんた、総長の意志をないがしろにするんでっか」

「いや、待ってください。その前に、私らは総長と二人してA会さんのほうに出向いて、お世話になりたいとの旨を申し出てるんですよ。それを反故《ほご》にすることはできません」

とL会長。

「それは総長のほうできちんとケジメをつけるといっとりまんがな。総長に黙って従うのが、ナンバー2としてのあんさんの筋道と違いまっか」

とこれはE組舎弟頭補佐。

「私らは確かに田舎ヤクザかも知れませんが、義理だけは知ってるつもりです。私どもがA会から受けた義理を忘れたら、ヤクザやってる値うちはないですよ。あくまでもA会のお世話になるのが、自分らの筋だと思いますし、吐いたツバは飲めません」

L会長の答えに、

「おお、上等じゃないか。あんさん、あくまで総長に逆らうつもりでんな。親のいうことならたとえ白いもんでも黒というのがワシらの世界や。あんさんの任俠道はそれで通りまんのか」

といきりたったのはE組若頭代行であった。

「お言葉ですが、総長は私の親分でもなければ兄でもありません。盃を交わしてませんから。私に限らず、幹部で総長と盃してる人間は、幹事長の他に誰もいませんよ。うちは連合会ですから。私の親分は死んだ先々代ただ一人。その先々代からわれわれが教わってきたことは、義理だけは忘れちゃならない、筋を通してこそのヤクザだ――ということですよ」

L会長は冷静に答えた。

「え？　総長と誰も盃がない？」

Ｅ組首脳三人は思わず顔を見あわせた。彼らにとって初めて知った事実であったようだ。トップと幹部が盃で結ばれてこその組であるはずなのに、盃がないとはどういうことなのか、関西のほうの感覚では理解しがたかった。

が、当時の東のほうでは別に珍しいことでも何でもなかった。寄りあい所帯的な連合会スタイルがほとんどで、代が替われば盃直しをして昨日までの兄貴分が舎弟に直る関西とは違って、Ｓ顧問とＹ総長のように兄貴は兄貴のままだった。

「ほなら何かい、おたくんとこは間違いが起きて、仮にＹ総長がどっかの組にやられても盃がないから関係ないって話かい？」

とＥ組若頭代行が迫った。

「いえ、そんな事態になったら、私らは組が全滅しても一丸となって弔い合戦をすると思いますよ。代々そういう教育を受けてますから」

Ｌ会長は少しも動じない。

「それと同じこっちゃないか。なんでうちに来たいという総長に従えんのや。うちの親分は、Ｄ連合会にはＣ組直参として来てもらうよう段どりをつけるとまでいっておられるんやで」

E組はムチばかりかアメまで出してきた。

「それとこれとは話が別ですよ。すでにA会さんのお世話になるという話をあちらさんとしておきながら、それを反故にしたんでは仁義が立ちませんよ。ですから、総長がそちら様との義理からC組にお世話になるというのを、私らもどうこういえる筋あいのもんじゃありません。それについては私は何ひとつうちの会の者にどうせいとはいってません。どっちを選んでも自由意志に任す、好きなようにしろといっております」

「じゃあ、総長がうちに来るということは認めるわけやな」

「ええ、ただD連合会としてお世話になるというわけにはいかんのです」

「で、総長と行動をともにするのは、どのくらいの人数になるんでっか？」

「十人もいないと思いますよ、はっきり申しまして」

「えっ、それじゃ一割ということでっか」

E組の三人は再び顔を見あわせた。どうにもS顧問から伝わってくる話とは違うようなのだ。

「わかりましたよ、L会長。帰ってうちの親分に報告しますわ。けど、何ですな、今日の会長の話を聞いてわかったんですが、どうも私らはずいぶんガセネタばかり摑まされとったような気がしますわ」

E組本部長は苦笑いを浮かべていい、他の二人とともに引きあげていった。

三人から報告を受けたE組長、

「なるほどな、ワシらはSのヤツにひっかきまわされとったわけやな。けど、田舎ヤクザと見くびったらいかんな。Lのような骨のある男もおるんやからな。よし、今度はオレが直接Lと会って話そう」

とL会長と二人で会うことにしたのだった。

L会長は同じことをE組長にも訴えた。

「私どもはA会には先々代の代からひとかたならぬ恩義を受けてます。E組長には他の誰よりもわかっていただけると思いますが、その義理を忘れるようではヤクザやってる意味はないですよ。いや、ヤクザを辞めるどころか、男を辞めなきゃならないんじゃないでしょうか」

「よし、わかった。ワシもな、十人くらいの人数を拾ってもしようがない。Yももういらん。A会に行くなり好きにすればいい」

「ありがとうございます」

「ただし、いったん潰されたワシの顔をどう立ててくれる？　Yの指なぞいらんで」

「はい。E組長に取り持っていただいた形で、私どもがA会入りできるということにしていただければ……」

「そんなことができるのか」

「はい、それを書状にすることはできませんが、組長に送りこみを受けたということにしていただければ……」

「わかった。そんなもん、状などなくてもええで」

「ありがとうございます」

まさに男は男を知るのたとえ通り、E組長もさすがに音に聞こえた強者、さっぱりとして男らしかった。

かくてE組長の面子も立って、D連合会のA会入りは決まったのである。

交渉ごとにあたっては、これだけは譲れないという原理原則があるはずで、それを貫くべきである——とは、ビジネスマンの世界であっても真理であろう。

十　愚連隊の無手勝流

――発想の自由さに学ぶのも悪くない

いまやヤクザ社会も完全に組織の時代である。ヤクザはつねに組織のなかの一員であることが要求され、無手勝流や個人プレー、突出した行動は許されず、幹部から末端に至るまで、自分の時間はあってないようなものとされる。

これとまったく逆の存在が、自由奔放でアナーキー、無手勝流のチャンピオン――愚連隊《ぐれんたい》であろう。

いまでこそ死語と化してしまったが、この愚連隊、かつてはいたるところに跋扈《ばっこ》して、その暴れっぷりが新聞紙上に躍らない日はなかった。

だが、そんな話もいまは昔で、もはや愚連隊が生きられる時代ではなくなった。そういう意味では、ヤクザ社会もサラリーマン社会と変わらぬ管理社会である。

広域系組織の中堅幹部がこういう。

「自分の直属の親分一人を尊敬してればいいんじゃなくて、つねに組織全体のまとまりを考えなければならない。飛びぬけた行動もタブー。長年この稼業をやってきた人たちには、それはとても奇異に映るんですよ。だから、ヤクザ組織をサラリーマン社会に持っていっても、かなり強固ないい会社ができるってことはよくいわれてるでしょ。命令系統がこれほどしっかりしてるシステムをビジネスの世界に持っていったら、トップがよければうまくいくんじゃないか。私も野放図な性格ですから、サラリーマンの経験があったればこそ、こういう組織に入ってもなんとかやってこれたと思ってますよ」

サラリーマン体験が、ヤクザ社会へ飛びこむにあたって、まわり道だったどころか、大いに役立っているとはなんという皮肉であろうか。

だが、確かにいまや愚連隊では生きられない時代とはいえ、発想も組織人として規格化され、柔軟性のない、ガチガチのものでは進歩はあるまい。とりわけ交渉ごとにあたっては、ときには組織の論理からはずれた愚連隊流の型破りさや自由さを学んでみるのも悪くない。

かつて横浜の愚連隊で、この男ありと知られたモロッコの辰は、カネが切れると、自筆の名刺を舎弟に持たせて、名のある親分のもとへ使いを出すのがつねだった。

名刺には「金〇〇円拝借つかまつり候」と書いてあって、あとは「モロッコの辰」というハンコ代わりの自筆のサインしかなかった。ところが、この名刺を受けとって、指定通りの金額を出さない親分はいなかったというから、究極の交渉力であろう。

〝愚連隊の元祖〟の異名をとった万年東一の一統で、〝新宿《ジュク》の帝王〟といわれた加納貢は、いまだ健在の人で、いわば生きた伝説である。〝メガトンパンチのミッちゃん〟として名を馳せた加納のまだ若かりし愚連隊時代には、こんな話も残っている。

あるとき加納は、舎弟の一人が、あるヤクザの親分の情婦といい仲になったことで、その組の連中から、

「このオトシマエ、どうつけてくれるんだ!?」

と押しかけてこられたことがあった。

むろん、その飯田という舎弟は、女がよもやどこぞの親分の情婦だなどということはつゆ知らず、ひょんなことから知りあい、気があってベッドインしたにすぎなかった。

加納がたまたまその飯田ともう一人の舎弟と三人でいる喫茶店へ、親分の意を受けて、五人のヤクザ者がやってきたのだ。

加納は最初、連中の話を、

「フン、フン」

と顔色も変えずに黙って聞いているだけだったが、聞き終えると、おもむろに舎弟の飯田に、

「そりゃ、おまえ、良くねえ了見だ。だいたい人の囲い者に手を出すなんざ、不良の風上にも置けねえ。昔なら女と一緒に重ねて四つだ。斬り刻まれようが何されようが文句いえる立場じゃねえんだ」

と口を開いた。

「そんな兄貴……」

飯田が世にも情けなさそうな顔になった。それを見て加納がニヤッと笑うと、

「ところでな」

と今度は相手のヤクザ者たちに目を向けながら、

「その女には、おまえたちの親分、何の何兵衛の所有物だという旨の名札か何か、つ

けてあったのか？」

と真顔で訊ねた。

「はあ？」

相手はわけがわからず答えようがない。

「おまえらの親分の女ですよ、という印はつけてあったのかどうか、と訊いてるんだよ」

加納はあくまでも真顔である。

「………………」

一瞬、絶句したあと、相手の連中は顔を見あわせながら、加納の静かな迫力に呑まれ、

「いえ、つけてないですよ」

と、答えるよりなかった。

実はこの時点で、すでにこの五人の連中は加納とストリートファイトを展開しており、さんざんやられたあとだった。

そのあとで話を聞こうということになったのだから、所詮は加納のペースである。

「何だ、何の目印もつけてないのか。それじゃ、誰の女房だか、情婦だかわからないじゃねえか。まして女がそう名のらないとなりゃ、わかるすべがねえだろ。そりゃ、おまえんとこの田舎じゃわかるかも知れねえが、なんてったってここは東京だ。どこの誰とも知らねえ男と女がうじゃうじゃいる街だ。そんなに大事な女なら、しっかり鍵かけて家の中に閉じこめておかなきゃな。一人で放っぽっておくほうが悪いに決まってるだろ」

加納があっさりいってのけた。その弁はいかにも人を食っていて、組の者たちはぐうの音も出ない。

「さあ、東京は広い。おまえらも道に迷わねえうちに早く帰ったほうがいいぞ」

これでおしまいである。

また、別のゴタゴタで、舎弟たちが○○一家から、

「うちの縄張り内で勝手な真似をしやがって!」

と因縁《いんねん》をつけられたときの掛けあいでは、

「縄張りだと?　どこにそんな縄が張ってあるんだ。区役所にそんな地図があるのか」

と啖呵を切って、相手をケムに巻くのだった。

また少しばかりヤンチャが過ぎて、あるヤクザ者の事務所に監禁されてしまった一門の舎弟二人を引きとりに行ったときの掛けあいも、見事なものであった。

一門の舎弟というのは、同じ万年一統で、加納の兄弟分である安藤昇ひきいる安藤組の若者のことだった。

「こんにちは」

加納がたった一人で、親分の自宅兼組事務所に乗りこむと、大勢の若い衆ともども待ち構えていた親分が、

「おお、加納君。来てくれたのか。まあ、そこへ掛けてくれたまえ」

と貫禄ぶって応じた。

「夏の虫にはなりたくないですからね。すわるのはご免こうむりますよ」

加納はやはり役者が一枚も二枚も上だった。敵の親分や兄ィたちを大勢前にしても、少しも臆せず、堂々としたものだった。

「夏の虫？」

親分が訝しがる。

「飛んで火に入る夏の虫——の夏の虫ですよ」

「…………」

「ところで、安藤の小僧さんたちは？」

「ああ、この隣りの部屋にころがしてるよ」

「ころがしてる？　いったいあの小僧どもが死骸になるほどのどんな悪さをしたんですか？」

大きな東京ハットをかぶった加納が、端正な顔だちを少しも変えずにいう。

「いや、殺しちゃいねえさ。小僧さんたちはちょっとしたことをやらかしたんでね」

「ちょっとしたことぐらいなら、所詮はまだ小僧じゃないですか。ビンタぐらいで充分でしょうが」

加納が言葉尻をとらえて突っこんだ。不良の掛けあいはすべからく、言葉尻をとらえられるようなことをいったほうが不利となる。

親分のほうがうろたえている。

「加納君、いったい君はどういう立場でここへ来たのかね？」

「安藤が留守なんでね。代わりにオレが来たんだけど、死骸を置きっ放しにしちゃ、臭くなってあなたがたも迷惑だろうから、引きとりに来たまでのことですよ」

「死骸、死骸って、殺しちゃいねえよ。ちょいとばっかし、シメただけだよ。加納君、君は話しあいに来たのか、それとも喧嘩を売りに来たのか、どっちなんだい？」

親分が顔をしかめた。

「いやいや、とんでもない。喧嘩なんて気は毛頭ありませんよ。そうですか。ちょいとシメられた程度の悪さなら、本人に重々謝らせて、引きとらせてもらいますよ」

加納が親分の顔を見据えたまま、いつもの静かな口調で応じている。完全に加納のペースであった。

本人に代わって私が謝ります——と、ひと言もいわないところがミソだった。先方が望んでいるのも、ひとえにその事実——加納ひいては安藤に謝らせ、ケツをとらせた（責任を負わせた）ということだけなのだが、むろん加納もそんなことは百も承知であった。

親分は腕組みしたまま何も答えない。加納の貫禄に対して、キャンキャンわめいたのでは若い衆の手前、格好がつかないし、かといって加納のいうなりになったのでは面子がない。

〈小僧らのどっちかの指一本ぐらいとらないことにはなあ。そんなふうにすぐに仕向けるつもりでいたのだが、この加納ときたら、妙に落ち着いてやがって、そんなことは気《け》ぶりにも出さない。こっちが思ってた以上のヤローだったぜ〉

などと考え、加納の出方をうかがっているのだが、もとより加納にはそんな親分の胸中、手にとるようにわかっていた。

「親分さん、まさか小僧どものちょっとしたいたずらでも許せないとおっしゃるんじゃないでしょうね」

加納が重苦しい沈黙を破っていった。

「そりゃあな、いくらいたずらといっても、度が過ぎるのもあるからなあ」

苦虫をかみつぶしたような顔で親分がいうのに、加納は、

「ごもっともですよ」

と、大きくうなずいたかと思うと、

「私はね、面倒くさいことは嫌いなんです。それならどうぞ殺してやってください。私も死骸なら安藤に代わってもらって帰りますよ。さあ、さっさと殺してくれ！」

加納が凛《りん》としていい放った気迫はすさまじかった。

「…………」

これには手ぐすねをひいて加納を待ち構えていたはずの親分も言葉を失い、その場にいた舎弟や若い衆たちもみな呆気にとられてしまったようだった。

「親分、どうしても許せないというんなら、本当に好きなようにしてくれて構わないんだ。ただ、殺す前に、今生の別れに顔だけでも見さしてくれ。ヤツらだって、何かいい残すこともあるだろうから」

加納が繰り返したときだった。突然、

「ハッハッハッ」

という高笑いが部屋中に響きわたった。親分が高らかに笑いだしたのだ。

「加納君、負けたよ。考えたら、こっちも大人げなかった。さあ、坊やたちを連れて帰ってくれ」

親分がさっぱりとした顔でいい、傍らの幹部に「連れてこい」と命じた。

加納の鮮やかな一本勝ちといったところであっただろう。

ところで、愚連隊といえば、戦後の横浜のスーパースター、モロッコの辰の〝超交渉力〟は前述した。

なにしろ、名刺一枚での〝無心〟といえば聞こえはいいが、その実は恐喝といっていいものだった。それもカタギの人間や弱い者が相手ではない、カネのある親分や愚連隊専門というところに、モロッコの真骨頂があっただろう。

使いに出る舎弟にしても、大親分を前にビビるわけにはいかなかった。

「モロッコの若い者ですが、モロッコの使いで参りました」

と、「金〇〇円拝借つかまつり候」と書かれた、人を食った名刺を手渡すと、出されたお茶には手を触れようともしなかった。

通された応接間で姿勢を正し、身じろぎさえしないで目当ての代物を待つのだ。

「お待たせしました」

相手からのそれを受けとった段階で、初めてお茶をひと口飲んで早々に引きさがってくる。それがモロッコ流であった。

愚連隊ではないが、ヤクザの世界で、喧嘩の掛けあいの口上としてよく知られているのが、かつての三代目山口組にあって、「殺しの軍団」として有名な柳川組。

三代目山口組の全国制覇の先兵として各地に進攻を重ねていたとき、敵地に乗りこんだ柳川組先遣隊の口から出た言葉が、

「通れるだけの道をあけてください。イヤといわれるなら大きな岩を動かしますよ」

という名ゼリフだった。

「大きな岩」というのは、柳川組の底知れぬ戦闘力を指したことはいうまでもない。

この口上で相手を威圧し、全国各地に道をあけさせた結果が、最盛期の柳川組勢力として二十都道府県、七十三団体、千六百九十人という数字になったのである。

十一

理論武装をしてこその交渉上手なのである

交渉力のあるヤクザ——交渉ごとを専《もっぱ》らのシノギとする総会屋、事件屋、仕事師といわれる連中を数多く見てきた組関係者によると、

「これはヤクザだけでなく、カタギにも共通することだと思うが、交渉上手たりうる条件は、話術、人脈、知識の三つがあげられる。交渉力のある人は、大概話術が上手くて人脈が豊富、そのテーマに関して知識があるというタイプ」

という。

確かにいわれてみれば、ひとかどの親分といわれる人たちは、おしなべて話術が上手く、人の気をそらさない魅力がある。

話術といっても、それは何も口で喋るだけでなく、

「目は口ほどに物をいう」

との言葉もあるように、目も立派な話術である。目だけで多くのことを語りかける親分もいれば、いるだけで存在感の大きなヤクザもいるわけである。

つまり、その人間のかもしだす雰囲気、立ち居振る舞いを含めた、トータルで考えたときの話術の上手さ、演出力が、ヤクザにはあるということであろう。

そうした話術の上手さに加えて、豊富な人脈、交渉を推し進めるに際して、そのテーマとなるものへの専門的な知識を持ちあわせていること――。話術、人脈、知識が交渉術のカギを握るとは、まさにその通りであろう。

関東の広域系三次団体のS組長も、その三つを生かして困難な交渉を成功に導いた一人だ。

それは院内感染にかかった被害者の親に依頼されて行なった、病院に対する補償をめぐっての交渉であった。

その依頼者の子は重度の身障者で、意識がない植物状態で、ある地方の大きな病院に入院していた。

その病院内で院内感染が発生、その子が運悪く感染してしまったのだ。

むろん親とすれば、運悪くなどとはいっていられない。どうしてくれるんだ、と病院側に詰め寄ったが、病院はのらりくらりとかわすばかり。

業を煮やして、知人の紹介でS組長に事の次第を話し、解決を依頼するに至ったのだった。


人に物を頼まれたら、嫌とはいえない性分のS組長。さっそく引き受けたのはよかったが、その院内感染及び医療関係の知識は皆無であった。

そこでまずやったことは、院内感染ということに関して、それなりの知識を身につけることだった。

その専門の本を読むのはもちろん、たまたまカタギの知りあいに元病院の事務員だった男がいたので、その者からレクチャーも受けた。親しくしている医師からもつっこんだ話を聞いた。

つまり、前述した三ポイントのひとつ、豊富な人脈も活用したわけである。そのうえで、もうひとつのポイント、徹底した専門知識の吸収を図ったのだ。

医療問題というのは、素人にはまずわからないものである。それがきっちりわかる人間を人脈に持っていたということが、S組長の大きな強みだったわけだ。

そしてその知識をそうとうモノにして、理論武装したうえで、敵との交渉に臨んでいるのだ。

S組長があとで語ってくれたことだが、

「ヤクザが交渉力があるっていうのは、成功した話しか語られてないから。失敗した話っていうのはあまり語られないからなんだよ。成功した裏には何があるかっていうと、これはカタギの世界でも同じだと思うんだが、予備知識を身につけていってるということ。つまり、段どりを目に見えないところでちゃんとやってるということだ。やらなきゃならないことは、事前にやるんだよ。

だって、そうだろ。営業マンが何かセールスに行く。それが技術的なものだとしたら、その商品の予備知識もなく、テレビのコマーシャルみたいに、いいものですよ、安いですよ、といってるだけで、売れるわけがない。他の会社のものとどこがどう違うのか、ということを技術的にわかりやすくちゃんと説明できなければ、営業マンはできないだろ。それと同じだよ。

ヤクザだって、無理難題をいうんじゃなく、いや、無理難題をいうときも、事前準備はしてるんだ。裏づけがあってこその無理難題なんだよ」

なるほど、そういうものだろうか。

ともあれ、S組長は準備万端の態勢で交渉に臨んだ。

だが、相手もタヌキだ。

「われわれは必死の医療行為をやってるんです」

といい、本質をはずす回答で、事をはぐらかそうとしていることが見え見えであった。

「この患者はもともと重度の身障者で、入院したときには植物状態でかつぎこまれてきた。この患者の場合、その病気が発症してからの平均生存年数というのがあるが、それを五年も六年もうわまわってるんです。それくらいうちは一所懸命やってるんですよ。わかってください」

と主張するのだ。

「それと院内感染とどういう関係があるんだ？　まさかそれくらい長生きしたんだから、院内感染にかかって死んでもいいでしょう、とバカな話をいってるわけじゃないだろうな、ええっ？」

とS組長は気色《けしき》ばんだ。

S組長は、院内感染以外あり得ない状況を挙げ、病院側が具体的にどのような対応をするのか、迫っているのだ。

それに対して病院側は結論を先延ばししようとしている。そうこうしているうちに、本人が死んでしまえば、院内感染がどうしたもこうしたもパーになってしまうからだ。

ということは、二十五歳までしか生きられませんよという病気にかかっている患者が、仮に二十八歳まで生きたとする。その死因が院内感染が原因といったところで、裁判になってもグジャグジャになるのは目に見えていた。

Sとすれば、病院側に絶対に引き延ばしをかけさせるわけにはいかなかった。落しどころはそこにしかなかった。

最初に結論ありき――がヤクザの世界である。

交渉に際して、

「どうしてくれますか？」

と迫って、

「じゃあ、このようにします」

「これこれこういうことでどうでしょうか」

と相手が答えても、それがこっちの決めている結論と違っていれば、

「それじゃ、おまえ、筋が違うだろう」

という話になってしまうのが、ヤクザ流である。

カタギ同士の交渉なら、話しあいをしながら、最終的に両者の納得するところ、妥協点を見いだして、

「落としどころはここですね」

となるわけだが、ヤクザの場合は、結論は端《はな》から決まっているのだ。

カタギとの根本的な違いは、ヤクザは交渉に際して、タテマエやきれいごとはいわない。オブラートに包んだ物いいはないということである。

白か黒かで灰色はない。ごまかしは通用しない。これはヤクザの世界の日常が、そういう世界だともいえる。その価値観でグイグイ押すから、結果もすっきりした形で出る。

「裁判所よりヤクザのほうが頼れる」

というカタギが少なくないゆえんであろう。

S組長は、この交渉にあたったときの肚がまえをこう語ってくれたものだ。

「現実に院内感染で困っている被害者がいる。一日も早く救済するのは当然で、それには誰も反対できない。社会の常識はこちらに有利なんだから、そこをとことん突いていくことが大事。とにかく被害者を一日も早くどう救済するか、という一点で攻めること。余計なことはいわない、いわせないが原則」

実際、S組長は病院に対して、その点を徹底して突いた。

「オレたちはごまかしやいい逃れを聞きに来てるんじゃない。現実に院内感染で困っている被害者がいる。それを認めるのか否か、それを聞きに来てるんだ。そして認めたうえで、被害者に対して誠意ある対応をしてもらいたいのだ」

病院側は当初、ああでもない、こうでもないとかわしながら、最終的には裁判という形になるにせよ、時間稼ぎをしようと図っていた。

だが、出てきた相手は、一筋縄でいく相手ではなく、ごまかしは通用しそうもなかった。どう見てもカタギとは思えぬ相手なのだが（S組長はもちろんヤクザの名刺は出していなかった）、驚いたことに、院内感染に関する知識もそうとうなものなのだ。

結果、病院側も最後は折れざるを得なかった。

かくして決着はスムーズにつき、はっきりした形で示談が成立したという。その結論は、もとよりS組長が端から決めていたものと同じであった。

ヤクザの交渉は、暴力というものを背景にしているという一点だけで強いわけではない。

ときにはヤクザ以上に海千山千のしたたかなカタギを相手にして、そのタヌキを逃がさぬためにも、相手と対等以上の理論武装も必要となってくるのである。

そういう意味では、かつて民事介入暴力、いわゆる民暴《ミンボー》を専門のシノギとして渡世を張っていた組長がいた。

暴対法の施行を機に、年貢《ねんぐ》の納めどきと観念して足を洗ったのだが、この元組長、シノギがシノギだけに、その理論武装ぶりも半端なものではなかった。

それこそヤクザ渡世に飛びこむ前の一時期、だいたい四年間ほど、弁護士事務所にいて弁護士のカバン持ちをしていたというから、その法律知識はそこらの半可通とはわけが違っていた。駆けだしの弁護士など、真っ青になるくらいの論客ぶりを発揮していたのである。

この元組長の得意な分野は、ミンボーはミンボーでも、交通事故の示談交渉が専門であった。

「昭和四十六、七年ごろは、交通事故でカネになるなんてことは誰も知らなかったよ。交通事故の示談をシノギにしたのは、いわばオレがその元祖だな」

と元組長。

なにしろ、この元組長、専門の交通事故の示談で、事故当事者のため、多いときには年間で三億から三億五千万円の金額を、損保会社からむしりとっていたという。

そのうち、元組長の取り分（手数料）は、約二〇％から三〇％というから、年間一億近く稼いでいたことになる。

その分、損保会社との丁々発止の駆け引きは、息づまるものがあったようだが、さすがの損保会社のスペシャリストたちも、元組長には太刀打ちできず、みなシャッポを脱いだという。

その論客ぶり、白でも黒といいくるめる交渉術がいかに抜きん出ていたか、わかろうというものだ。

おまけにこの元組長、同じヤクザでもテキヤ系の組長で、弁が立つテキヤの世界で鍛えられた。

社会の裏側も見て、世の辛酸《しんさん》もすっかり舐めてきた。ペーパーテストでいい点数をとって競争社会を勝ち抜いてきた世間知らずの弁護士や損保会社のインテリと違って、世の中の酸いも甘いもかみわけていた。

単なる頭でっかちの理論家では逆立ちしても敵わない凄み、迫力を持っていたわけである。

そうした交通事故の示談交渉スペシャリストとしての腕前が評判を呼び、交通事故の処理となると、業界のあっちこっちから声がかかるようになったとか。ひところは、ヤクザ業界の事故係といったふうにもなったという。

この元組長にしても、その卓越した交渉術の秘訣はといわれれば、ヤクザという背景以上に、他の誰にも真似できないような理論武装が実を結んだのだ、というしかあるまい。

十二「正義は我にあり」の思い込みが最大の武器となる

何という偉い人がいったのかは忘れたが、人間が最も強くなれるのは、自分が正しいことをしていると思いこんでいるときという。

それをまさに地でいっているのがヤクザである。ヤクザが交渉ごとにおいて絶対的な強さを発揮するというのは、その思いこみの凄さでもある。

とくにカタギの人から依頼されて、交渉ごとを行なうときなどは、

「自分は人助けをしている。任俠精神を発露しているのだ。正義は我にあり！」

との思いこみが度はずれているのだ。

よくヤクザが口にする言葉に、

「それが筋だろう」

「それじゃ筋が通らないよ」

があげられるが、この〝筋〟こそ彼らにとっての正義なのである。

カタギは交渉にあたって、どんな場合でも、

「自分の考えてることに間違いはないだろうか？」

とか、

「これを押し通せば、世間体はどうなんだろうか？　人はどう見るだろうか？」

と結構胸の中で揺れ動くものがあるものだ。

ところが、ことヤクザに限っては、

「人がどう見るか」

などということは関係ない。

「自分はどう思うか」

がすべてなのだ。

「つまり、思いこみの美学というのかな、交渉する前に、依頼してきた人を助けてあげるんだ、これぞ任俠精神なんだ——という思いこみを固める凄さが、ヤクザの圧倒的交渉力の秘密だとオレは思うんだな」

とはヤクザをよく知る人の弁である。

思いこんでいる人間に対して、

「そうじゃないですよ」

と反駁《はんばく》することの困難さはいうまでもあるまい。

この思いこみのすさまじさで、

「そら、アンさん、筋が通らんやろ」

といわれれば、カタギの人間は閉口せざるを得ない。

一般人が考える常識とは違う次元で、ヤクザは筋や正義を持ってくるのだ。

この「正義は我にあり」の思いこみの実例をひとつ——。

関東の某組織の直系であるT氏は、企業ヤクザという性格が強かった。

このT氏の親分筋にあたるS氏は、財閥系不動産会社と電鉄会社が出資する企業の代表をつとめていた。当然、両企業のケツ持ち——いわゆる用心棒役をもずっと果たしてきた。

ところが、あるとき、電鉄系不動産の売却をめぐって、その電鉄会社と対立するに至った。

そこで親分S氏の命を受けて、電鉄会社との交渉にあたったのがT氏であった。

それに対して電鉄会社は、警察官僚OBを天下りさせて、T氏らにぶつけてくる。会社がヤクザとの縁を断ち切ろうとしているのは明らかだった。

会社側は一貫して不誠実な態度に終始して、話しあいはいっこうにラチが明かなかった。どう考えても会社がいっていることはおかしかった。

T氏ははっきりと企業の裏切りを感じたのだ。

〈ハハーン、こうなったらもう交渉も何もないな。われわれの拠って立つ基盤が何なのか、われわれの存在の背景というものを思い知らせる必要があるな。そうでなきゃ、この交渉は成立しないようだ〉

T氏は、最後の手段の行使を決断した。

相手電鉄会社の社長宅へ、拳銃を撃ちこんだのである。

この一撃が相手をどれだけ威嚇し、底知れぬ恐怖心をもたらしたかは、想像に難くない。

それは次の結果がすべてを物語っている。間もなくして、電鉄会社とT氏の親分筋との関係は修復されたという。

T氏は出所後、こう語った——。

「それまでさんざんわれわれを利用して、甘い汁を吸ってきたのに、手のひらを返したようにわれわれを捨てた。心底、不誠実だと思った。企業のズルさがよくわかった。こういう大資本の勝手極まる行為に泣かされている中小企業も相当あるのだろう。そう思うと、自分の行為は違法かも知れないが、誰かのためになると自信が持てた」

思いこみの激しい人間には勝てない。まず交渉にあたるに際し、「正義は我にあり」と自己を納得させることが相手に対等以上の交渉ができるコツといえるだろう。

いや、それ以上に、何だかんだといっても、ヤクザの交渉力にカタギが勝てないというのは、その背景にある彼らの暴力（装置）ゆえにであろう。いざとなったら抜きますよ、という伝家の宝刀があればこその話なのだ。

「やるかも知れないし、やらないかも知れないというのでは、相手が舐めてかかってくる。やるときは間違いなくやるということを、きっちり見せなきゃならない。それがあればこその交渉力。やるときはやるということがあるからヤクザなんで、それがなくて、交渉術だけに長《た》けているというんだったら、そのヤクザは一流企業が年俸二千万円払っても営業マンとして引き抜きにくるだろ」

と T氏は笑う。

それでも、最後の手段である暴力を行使すれば、当然ながら刑務所行きが待っている。そのリスクを冒してまで一線を越えるのは、やはり「正義は我にあり」の思いこみなのであろう。

「正義は我にあり」の実例をもうひとつ――。

都内に事務所を置くB組組長は、あるとき、ジープをローンで買い、その保証人に、カタギの先輩になってもらった。

何度目かのローン引き落とし日に、たまたま地方へ行く用事があったので、Bはローン会社に、

「悪いけど、その日はおカネを入れられないので、再引き落としの日には間違いなく入れます。そういうわけで、保証人のほうには連絡しないでください」

と頼み、相手もそれを了承した。

だが、何の手違いからか、保証人に連絡が入ってしまった。

Bは怒った。子どものころからの親友である右翼活動家のDに相談すると、

「けしからんな。よし、とっちめてやろう」

Dも怒り、Bと一緒にローン会社に乗りこんだ。

すると、ローン会社側の人間として応対に出てきたのが、総務次長という生えぬきのサラリーマンと、もう一人、総務部調査役の肩書きがある元警視正という年配の男だった。御丁寧にも、そのローン会社の名刺に「元警視庁警視正」と刷りこまれていた。警視庁から天下ってきた人間だ。

それがBとDの怒りの炎に油をそそぐことになった。

「この名刺、何だ!? 何で会社の名刺に、『警視庁警視正』って入れなきゃならないの？　どういうことなんだ！　オレのいったことはちゃんと会社の記録に残っているだろう。最初の引き落とし日にはカネは入れられないけど、再引き落としの日に落ちるようにしておくから、保証人には連絡しないでくれ、と確認してるだろ」

Bの見幕に総務次長があたふたと記録を持ってくる。

「はい、確かに記録があります」

「ほら、見ろ、いった通りじゃねえか」

BとDはここぞとばかりにカサにかかって攻めていく。

この二人、最初は何も打ちあわせもしていなくて、ただ単に抗議に行っただけだったのだが、こうなるともう二十年以上のつきあいで、息もぴったり。何のシナリオもなかったのが、一方が脅す、もう一方がスカすという互いの役どころができてしまう。

このBたちの攻撃に、総務次長のほうはタジタジとなり、平身低頭してひたすら頭を下げるだけだった。

が、もう一人の元警視正のほうは、ふんぞり返っていばっている。あまつさえ、

「僕が警察にいたときは、殺人事件の現場だ、やれ何だ、といろんなところへ引っ張りまわされたけど、相当数の事件を解決してきたんだよ」

などという話さえし始めている。

「おまえ、その話とどういう関係があるんだ⁉」

Bは元警視正の態度に、怒り心頭に発した。

スカシ役のDまで、これにはさすがにカッとなり、たちまち本来の右翼としての本性が頭を持ちあげてきた。

「われわれはそんな話をしに来てるんじゃねえんだ。この話と、あんたの昔話といっ

たい何の関係があるんだ。要するに、それ、ブラフなんだろ。脅してるのか。じゃあ、何か、われわれみたいのが来たら、警視庁警視正の名前で追っ払うのか。カタギの人間が、この名刺を見たら、ここでヘタなことといったら、逮捕されるんじゃないかとなってしまうじゃないか。ここの会社は正当なクレームさえ受けつけないってことなんだな」

Dの啖呵に、

「いえ、いえ、とんでもありません。私どもはそのようなことは決して……」

総務次長が懸命に弁明につとめようとするのだが、BとDはもう止まらなかった。

このときの二人には、相手にいちゃもんをつけているんだなどという意識はみじんもなく、ただ、ひたすら、

「自分たちは正しいことをやってるんだ。弱い人たちに代わって正義を行使してるんだ」

という意識しかなかった。

「正義は我にあり」

であるから、怖いものなど何もなくて、堂々たるものだった。

Bがさらに続ける。

「保証人に電話した云々ていうのはもういいよ。電話してしまったことなんだから。でもな、保証人という人は、オレにとって大事な先輩なんだよ。その先輩の、オレに対する信用がまるでなくなってしまったじゃないか。これはどうしてくれるんですか、という話だよ。簡単な話じゃないか。あなたがたのミスなんだから、まず私に詫びてくれればいいんだ。それでもって、保証人のほうには、『私どものほうであらかじめいわれておりました。それを手違いでそちら様に連絡をいれてしまったんですが、支払いはちゃんとしていただいておりますから、何の問題もありません。申しわけありません』と電話の一本いれてもらえばいいと思って、われわれは今日ここへ来てるんだよ。けど、そんな名刺を出されたら、そんな話じゃ済まなくなるじゃねえか。オレだからいいよ。そんなこけ威しはオレには通用しないんだから。だけど、他のカタギの人間が、こんな名刺出されたら、いいたいことだっていえなくなるじゃないか。何か、そんな正当なことをいう権利までおまえたちは制限するのか？」

一気呵成にまくしたてて、Bが追及するのに、総務次長はいよいよタジタジとなって顔をこわばらせ、

「い、いえ、滅相もありません。私どもはそのようなことは毛頭しておりません。お客様が疑問を持たれたり、相談等がございましたら、私どもは誠心誠意、これに対応させていただいております」

と答えるのがやっとだった。

「それだったら、なおおかしいじゃないかといってるんだよ。『元警視庁警視正』の名刺を出してこられたら、気の弱い人間は、物がいえなくなるよ」

「…………」

何もいえなくなった総務次長に、今度はDが、

「オレが思うにだな、おたくたちはこんな名刺を使わなきゃ、怖くて商売やっていけないようなことをしてるに違いない。うしろめたいことがあるんだろ。でなきゃ、誰が考えたって、この名刺はおかしい。……ようし、わかった」

と、ここでDはひと呼吸置いて、

「それなら明日、ここの株を買って、株主権を行使して『関連書類、全部出せ、このヤロー！』ってやってやる。こうなりゃ、徹底的に調べてやる。何か不正があるに違いない。覚悟しろよ」

とうとう知人の総会屋もどきのことをいいだした。

これにギョッとしたのは総務次長で、元警視正氏は憮然とした面持ちになって、最前までの態度のでかさは消えた。

「――しょ、少々、お待ちいただけますか」

総務次長はオロオロしだし、席を立ってどこかへ消えた。もっと上のほうの判断を仰ぎに行ったに違いない。

「正義は我にあり」

の二人にあるのは、もはや矢でも鉄砲でも持ってこい、とことん勝負してやる――の心境だけである。

第三者からすれば信じられないかも知れないが、この時点で二人には、

「オレたちは正義を行使しているんだ」

との思いが強くあるだけで、相手からカネを引きだそうという当初の目的はどこかへ消えてしまっているという。

やがて総務次長と一緒にやってきたのは総務部長で、入れ替わりに部長から促されて元警視正が部屋を出ていった。

総務部長は腰を低くして二人に名刺を渡し、挨拶すると、

「私どもが何か大変な考え違いをしておりました」

と深々と頭を下げて詫びた。

「ついては些少ですが、これをお納めください」

と二人に差しだしたのが、おカネであった。ヤクザ用語でいえば、解決金《おとしまえ》というヤツである。

二百万円あった。

「あ、そう」

Bはさも当然のようにそれを受けとると、Dとともにそそくさとローン会社をあとにした。

総務部長たちと別れ、会社のエレベーターに乗ったとき、二人はこみあげてくる笑みを我慢できなかった。

「おい、二百万もあるぜ」

「それにしても、あわててそこら中からかき集めたんだろうな。封じゃなくて輪ゴムで束ねてあるんだからな」

「ホントだ。ボロボロの札《さつ》もあるなあ」

二人は戦果を称えあった。

が、二人がふっと我に返るのもこのときである。それまでは二人の胸中には、

「正義は我にあり」

の赫々《かくかく》たる闘志しかなく、恐喝をやっているんだという意識はかけらもなかった。

だが、その〝正義〟をカネに換えたところで、正義はどこかへ消えさり、現実に返ったのである。もっとも、うしろめたさはみじんもなく、カネをとった相手が相手だけに、

「してやったり」

の気持だけである。二人は意気軒昂として帰途についたのだった。

それにしても、一種のボディガード役として招いたはずの元警視正が、逆にいちゃもんをつけられるネタにされるとは、企業側としても、思いもよらないことだったろう。

十二　身を捨ててこそ浮かぶ瀬もあり

いうまでもなく、ヤクザの交渉は対カタギのものだけではない。

むしろ、ヤクザとの交渉のほうがずっと多いといっていい。そしてそのときは、大抵互いが正念場《しょうねんば》のときである。

いまや現役の第一線で活躍する西日本の広域系二次団体幹部のT組長にも、若かりしころには、こんな話がある。

いまは亡き先代親分がまだ若くて、経済的にだいぶ苦しかった時分のことだ。

組の台所も底をついて、親分は自分のところで買ったインチキ商品を、どこかよそへ売りつけることを思いついた。

「こんなもん、カタギさんに売ったんでは弱い者いじめと笑われるかも知らんが、同業者なら構わんやろ。博奕でいう〝助かり〟みたいなもんやないか」

と同じヤクザに売りつけることにしたのだ。

家名違いのある一家にその話を持ちかけると、相手は了承、さっそく商品を納入した。

ところが、当然ながらインチキ商品、相手から、

「品質が説明書と違うじゃないか」

とのクレームがついた。

これはカタギの世界でも往々にしてあることだ。

いまならクーリングオフということになるのだが、当時はそんな制度はない。

「品物が説明と違うのだから、カネは払えない」

と相手の組が息まくと、

「買うといって、もう品物まで受けとってるんやから、カネを払うのは当然やないか。すぐに払え」

とT組長のほうも主張、互いに一歩も引く気はなかった。

一触即発、ヘタしたら抗争になる危険性も充分に考えられた。

T組長を含む若い者たちが、ああでもないこうでもないとやっていたとき、先代親分が事務所に現われ、

「よし、いまから相手に掛けあいに行く。T、おまえだけついてこい」

とTを指名。

「一応、拳銃を用意しろ」

とも親分はTにいい、自分も懐に拳銃を呑んだ。

「T、今日でこの世の見納めかも知れんなあ。おまえ、女房はまだだったな」

「はい」

「ふむ、だから、おまえにしたんだ」

などというわりには、親分は泰然自若としており、Tも思わず、

〈ああ、この親分と一緒なら死んでも本望や。極道やっとる以上、こんなことは当たり前やないか〉

と妙に納得でき、気持も落ち着いてくるのだった。

「ほなら、行くで」

親分と一緒に事務所を出るとき、Tは、見送る若い者たちの顔がどれも、心なしか

うらやましそうに自分を見ているような気がした。

Tを引き連れ、たった二人で相手の組事務所へ乗りこんだ親分は、一歩も引かずに相手との交渉を進めていく。

「今日は商品代を払ってもらえるやろ思いましてな、参上した次第ですわ」

「それは御苦労はんどす。けど、おたくから買《こ》うたこの商品はどうもおかしいんどすわ」

「いま、買《こ》うた、と間違いなくおっしゃいましたなあ。買うた以上、代金は払ってもらわななりまへん」

「買うたいうても、こんなおかしな品物にカネ払えいうほうが無茶と違《ちゃ》いまっか」

相手の親分が商品を手に、Tたちに盛んに不満を漏らす。

その両隣りには幹部らしき二人がすわり、そのうしろや周囲には、Tら二人を取り囲むようにして大勢の若い衆たちが眼を光らせて立っている。

何かあればいっせいに二人に襲いかかるべく、身構えているのが嫌でも伝わってくる。

そんな殺気だったなか、Tの親分は、

「けど、カネは払ってもらわな。カネは払えまへんでは通りませんよ」

とあくまで押し通す。

「せやから、この商品にカネを払うのは納得いかんいうとるやないでっか！」

相手の親分が気色《けしき》ばむと、まわりの若い衆たちもスワッとばかりに前のめりの体勢になる。

Tの親分はそんな相手を見つめ、まわりの連中をもゆっくり睨《ね》めまわしたうえで、笑みを湛《たた》え、

「今日はどうあっても払ってもらわな、帰れまへんな。だいたい天下の〇〇一家が、こんな商品代を払う払えないで、大騒ぎしとるのもおかしいことですわな。ましてこんなことで戦争だなんてことになったら、うちみたいに小《ち》っちゃな組にとっちゃ上等やけども、そちらさんにとっちゃ、不名誉なことと違《ちゃ》いまっか」

との弁に、

「何を!?」

今度は相手親分の隣りの幹部がいきりたち、まわりがいっせいに動こうとするのを、

「やめんかい！」

と相手親分が一喝して止める。

そのうえで、Tの親分とTを交互に見やって、

「ええ度胸やな。あんたら二人、ハジキを呑んで来とるんのやな。死ぬつもりで来てるんかい？　いざとなったらワシと刺し違える肚なんやろ……負けたよ。あんたのいう通りや。ワシもな、こんなことで命を落としとうないわ。こんなゼニをケチッて死んだとなっちゃ、世間様に笑われる。今回はあんたの顔を立てたるわ。全額払うで」

いっそサバサバした顔でいうのだった。

「ありがとうございます」

Tの親分はいい、カネを受けとると、相手の親分に一礼し、Tを促して悠々と相手事務所を引きあげたのだった。

〈ホー！〉

とTは内心で唸り、親分の格好良さに改めてシビれると同時に、交渉というものの極意を学んだ最初の体験となったのだ。

T組長はこういう。

「ヤクザというものは、相手が誰であっても自分の主張は生命をかけても絶対に譲ら

ないということが大事なのだ。これはカタギとの交渉でも同じ。これ以上いったら警察に訴えられるなどと、腰の引ける交渉をしていたらうまくいくわけがない。一歩でも引いたら終わり。刑務所へ行こうが殺されようが、一歩も引かないからヤクザといわれる。カタギの分別《ふんべつ》が首をもたげたらヤクザじゃなくなる。身を捨ててかかることが大事なのだ。刑務所へ行くのもヤクザの仕事、命捨てるのもヤクザの仕事と、そこまでの思いこみがないと、相手を説きふせることはできない」

つまり、ヤクザとの交渉になったとき、ヤクザは捨て身でかかっているということだ。

「身を捨ててこそ浮かぶ瀬もあれ」

というが、捨て身くらい恐ろしいことはない。捨て身の交渉がヤクザのひとつの特徴といっていい。

たとえば、かつて三代目山口組によって、世に名高い〝夜行列車殺人事件〟というものが引き起こされたことがあった。

〝殺しの軍団〟と恐れられた柳川組が、山口組の先兵として全国的な進撃をかけている過程で起こした、山陰線の急行列車内で対立組長を射殺するという事件であった。

その後始末のため、相手の頭領宅へ掛けあいに赴いたのが、当時の三代目山口組の吉川勇次若頭補佐と、佐々木組佐々木道雄組長であった。

大勢の若い衆が待ち構える敵陣営のなかへ、たった二人で乗りこんだのである。二人とも身に寸鉄も帯びていなかった。

殺られているほうの相手がたは、当然ながら最初から殺気だっていた。二人が訪れるや、三十人ほどの若い衆がドスを握りしめ、二人を取り囲んだ。

相手親分と二人のやりとりがややこじれ、いまにも若い衆が二人に襲いかかろうという空気が流れた。

『山口組三代目・田岡一雄自伝』（徳間文庫）によると、このとき、吉川勇次はこう啖呵を切ったという。

「お宅らが、わしらを殺そうが、どうしようが勝手や。もし話がわからんかったら、わしらを、この場でバッサリ殺《や》ることや。それがあんたらの返事になるんやからな」

吉川勇次という人は、田岡三代目から最初の若い衆の盃を受けた人物として知られる山口組の功労者の一人で、その胆力も並大抵ではなかった。

このあと、『田岡一雄自伝』はこう続いている。

《「あんたらのいう通りや」
○○（相手頭領の名）はがくりと頭をたれた。筋道は通せた。談合は一時間に及んだが、戦わずしての勝利であった》
やはり捨て身が一番強いわけである。

第二章

脅しのテクニック

――白を黒といいくるめる交渉術

理屈と膏薬は何にでもくっつく

いちゃもん・因縁・いいがかり・難クセ……アラカルト

1

暴対法が施行されてかなり厳しい状況になってきたとはいえ、現代ヤクザのシノギは、債権取りたて、示談交渉、地上げなどのいわゆる民事介入暴力、個人的なものから企業間に至るトラブル処理、いってみればトラブルコンサルタント業的なものが結構大きな比重を占めている。

いわば、〝負のサービス産業〟ともいえるわけで、それらの基本となっているのは、いうまでもなく〝交渉〟である。

「交渉力のあるなしが大きく影響してくるといえば、その通りや。ワシらは交渉のプロを自任しとるよ。ワシらの仕事は、弁護士さんとほとんど変わらんから。場所と向きが違うだけやな」

とは、組関係者の弁である。

そういう意味で、ヤクザにとって死命を制するのは、いかに交渉術を身につけるか、いや、そんな高尚な話でなくても、どんなささいなことにも、いかに因縁をつけられるか、言葉のテクニックをつねに磨くのも、立派なトレーニングのひとつだ。

作家の安部譲二氏がまだヤクザ業界にいて修業中の身だったころ、テレビを見ていると、兄貴分から、

「ヤクザというのはな、テレビコマーシャルひとつだって、お前みたいにニタニタしながら気を許して見てちゃいけない。どう考えたってイチャモンのつけようがないものに向かって、無理に無理を重ねた理屈をつけて、人さまの懐をエサにして生きる。それがヤクザというもんだ」(『極道渡世の素敵な面々』祥伝社刊より)

と怒られたという。

業界関係者もこういう。

「いってみれば、ヤクザというのはささいなことに因縁をつけるプロ。たとえば、銀行なんかに交渉に行って、どうも分の悪い話になったんで、煙草は我慢する。で、むこうが先に煙草を吸ったところで、ひとこと、『おまえ、客が煙草吸わんのに、何だ、それは』とこういった途端、話がひっくり返るようなことがある。うまい人はそういったようなやりかたをする。ともかくボンヤリせず、あらゆる角度から、何かこういちゃもんをつけてやろうとアンテナ張ってますよ」

昔から俗にいわれる「理屈と膏薬はどこにでもくっつく」「無理が通れば道理がひっこむ」というのを己の信条にして、任俠道や義理人情などどこ吹く風、因縁といいがかりに生き、「恐喝こそわが人生」とばかりに世渡りしているヤクザも存在するという。

といっても、交渉上手のヤクザほど、決して衣の下の鎧《よろい》はのぞかせたりしないものだ。ましていまは組の代紋入りの名刺を出しただけでも、脅しとされ、「御用」となってしまう時代。「このヤロー!」などの暴力的言辞を吐く者など愚の骨頂だ。

たとえば、ヤミ金というのは金融業という名のある種の恐喝業のようなものだが、業界では、

「金融はヤクザを鍛える養成所だ」

といわれているという。駆けだしのヤクザにとって、いちゃもんのつけかたなどの交渉術が手っとりばやくマスターできるのだ。

昨今は法律の整備やマスメディアの影響で、この商売にも寒風が吹きこんでいるといわれるが、元気のいいヤミ金業者は存在する。

カネの貸し借りの現場で、いまどのようなことが行なわれているのか、都内のある企業舎弟はこう語る。

「相手がやってきたら、落ち度をガンガン責めるわけだ。脅す、ごねる、すねる、これはその場にいないと、説明しろといわれても難しい。うーん、そうだな。たとえば、アンタが、カネ貸してくださいといってうちの店に来たとする。でも、こっちの条件を見て、断わるとする。そら、断わるよな。うちはトイチどころかトサン、トゴだからな。で、客は、ああ、やっぱりそれだったら借りられません、となるとする。そうなると、こっちは、『ああ、そうか。ほう、おまえが来るといったから、おまえのためにオレは今回時間空けてたんだぞ。他の者もこれで業務できないじゃないか』とやるわけだな」

トイチというのは、十日で一割の金利のことで、トサンは十日で三割、トゴは十日で五割である。

このヤミ金屋の企業舎弟のいちゃもんは、さらにこう続く。

「あのさあ、田中さんはカネ貸してくれっていって来てんのに、この期に及んで借りられねえってどういう意味なんだよ。オレ、いま、田中さんが来るっていうんで時間空けて待ってたんだよ。他にやんなきゃいけない仕事、全部割いてやってんだから。じゃあ、なに、うちらのこと、からかいに来たの。うちはいったい何なの？ 田中さんにカネ貸すために時間割いているんだよ。バカにしてんの？」

最初に、話だけ聞きに来なさい、といっておきながら、そんなことはもうどこかに飛んでしまっているわけだ。そうやってアヤをつけ、相手の精神状態を揺さぶって徐々に型に嵌《は》めていこうとする。

当然、相手も反論する。

「話だけ聞きに来るだけでもいいっていったじゃないですか」

しかし、この企業舎弟にそんなものは通用しない。

「田中さんさ、そんなことはひとつの社交辞令でしょ。あんたも社会人なら、そのくらいのことわかってるでしょ。あ、じゃ、何か、あんたが会いたいといったら、オレらはあんたとこうやって会わなきゃならんのか。あんたのいうことを、全部オレらは聞かなければならんのか。え、どうなんだよ」

とネチネチ攻めてくる。

ヤクザが交渉を進めるうえで重要になるのが、常識と非常識の取りあわせである。誰が聞いても正しいと思わせる言葉を使いながら、そのなかに自分に都合のよい非常識を入れこむのを忘れないのだ。悪いのはむこうで、正しいのはこっちなんだよという常識を勝ちとるための非常識。

「非常識な人間が一番強いんだ。常識的に物事を考えてたら何もできない。頭を非常識に切り替えないとダメ。仮に敵が三百人いてこっちには十人もいない状況で喧嘩《けんか》をして勝とうなんていうことは、常識的にはできないわな。もう何も打つ手はない。でも、非常識に考えれば、何も打つ手がないということは、何でも手を打てるということでもある。ごめんなさいというのはイヤなんだし、人と同じことをやってても絶対負ける。結局、この世界は非常識なんだよ」

とは、あるヤクザの弁である。

非常識の住人に常識人である一般人が勝てるわけがない。

ともあれ、先の企業舎弟、そうやって煙に巻きながら、その相手のキャラクター、心理状態、置かれている立場などを調べるわけである。

「もし、相手が賢いようだったら、早々に手を引く。相手に開き直られたら、こっちは押せないからな。最近は法律が厳しいから強引に貸しつけると恐喝になってしまう。このごろの客というのは、賢いし、強いのもいるよ。『私はそういう条件で来たんですよ』といい張るヤツ。逆に、方々から借金しまくってて、もう半分頭がいかれてるヤツ。そういうヤツには当然こっちもカネを貸さない。『なんだよ、てめえ、人呼んでおいてカネ貸さねえというのはどういうつもりなんだよ』というヤツな。こういうヤツらは、『もういい、早く行け』と早々に追っ払うわけだ」

しかし、なかにはどうにかカネを返せそうな者もいる。トサンだ、トゴだといっても、どうしてもキャッシュが欲しい人間というものは、こういう不況だからこそ相当数存在するのだ。

「もちろんそういうヤツらは、多重債務者や会社の資金繰りで困っている連中だ。そして渋々カネを借りさせる。どう見ても返せそうにないヤツには貸さないけれど、じゃあ、この間の面接料だ、審査料だといって、最悪五千円くらいはとるわけだ」

常識と非常識を取り混ぜてアヤをつけながら、相手がどういう人間なのかを見る。それがこのヤミ金屋の交渉術の第一歩であるようだ。

だが、もちろん出資法には違反しているし、トサン、トゴなどの契約書も無効である。では、貸したカネはどうやって回収するのだろうか。

ヤミ金企業舎弟氏はこう続ける。

「で、取りたての場合な、とりあえず電話するよ。でも、バックレようとするよな。仕方ないから家まで行く。居留守使うヤツや、時間帯によっては家にいないヤツとかもいるけど、もし家にいたら交渉が始まる。相手さえ捕まえればだいたい回収できる。だって、こっちは相手を見て貸しているから」

サラリーマンの場合は、会社の上司や同僚、関係者に、あの人は私らのような人間からカネを借りてますよ、などという噂を撒く。ファックスを会社に送りつけてもいい。また、自営業者は自分の拠点で商売をしているから、その店に行くだけで簡単に落ちる。手荒なことをやらなくても、ほとんどの場合はカネを回収できるという。

とはいえ、相手も知恵をつけてくる。債権者と債務者の攻防戦は否応なく開始される。

「最近は客のほうから駆け引きしてくるな。いきなり『脅しに来たんですか?』だからな。この『脅す』という言葉は、債権者を揺さぶる発言。『脅しに来たんですか』＝『私は警察に駆けこみますよ』だからな。そうすると、こっちも、『何だよ、そのいいかた。おまえ、ちょっとこっちへ来いよ』となるな。結局、素人がオレたちのようなプロに駆け引きしてきても所詮は素人のやること。えっ、この時点で脅迫で訴えられるかも? いやあ、このへんが説明に苦しむんだけど、やっぱり客も返さないといけないと思っているんだよな。なんというかな、法律ではなくてモラルの面で。オレらみたいな業者というのは、出資法違反もしているし、法律的にはだいたい恐喝未遂になるんだけど、借りたほうもそれはわかっているんだけど、やっぱり返さなくちゃいけないというのが頭にあるんだよな。借りたもんだから返さないといけない。そういった道徳心を揺さぶるわけだ。そこから長々と交渉に入るわけだ、一時間でも二時間でも」

「おまえ、どういう意味だよ。人からカネ借りて返さないってのはどういうことなんだ」

「おい、なんとかしろよ。オレもここまで来てるんだぞ」

といったようなことを、企業舎弟氏は延々といい続けることになるというのだ。

こうなると、もう根比べ、我慢比べの様相を呈してくる。相手が精神的に疲れ果てるまで「カネをつくれ。なんとかしろ」と繰り返すのだ。

その一方で、厳しい言葉ばかりでなく、

「でも、わかるよ、おまえが苦しいのも。オレも好きでこんなことやってるわけじゃないんだ。おまえがオレからカネ借りたからこうなっているんだぞ」

と気の毒がるようなセリフも忘れない。

「アメとムチの使いわけもときには必要でね、まあ、ほとんど落とせなかったことはないね」

と企業舎弟氏、交渉テクニックを自慢するのだった。

2

ある不動産会社社長の話である。仮にJとしておこう。

J氏は良質の競売物件を見つけ、それを転売するその道のプロである。だが、ライバルもいる。もちろん厄介なのはヤクザである。

J氏が落札した競売物件に、ヤクザは若い衆を勝手に住まわせて引きわたしを拒む。占有である。もちろんJ氏は法的な手続きを経て落札しているから、引きわたしを要求するが、そうはうまくいかない。

この場合、おとなしく手を引くケースとそうでないケースとがあるという。

「いまからいっておまえを殺してやるぞ！　とかいうヤクザもいるが、そんなものはチンピラのたわごと。おまえの住所はわかっている。女房子どももいるんだろ。一人ずつ殺す！——とかね。こういうものは、いわれ慣れてくると、そんなに怖くない」

あるとき、J氏の事務所に電話が入った。

「オレたちが住んでるところに、おまえのところの人間が来て、引きわたしを要求されている。どういうことなんじゃ⁉」

J氏は、ほい来たとばかりに対応する。この場合、最初から最後まで穏やかに交渉するのがミソである。こっちが興奮すれば、むこうも興奮する。冷静にいくことが肝心だという。

諄々と法的な説明をし、引きわたしを要求する。だが、その程度で退くほどヤクザが甘くないのはいうまでもない。

「よし、わかった。おまえがそういうんなら、いまからおまえのところの事務所に乗りこむぞ」

といわれると、こっちも来てもらいたくないから、そこで大概の人間は引いてしまうのが普通だ。

「困ります。来ないでください」

ヤクザは、相手が何よりイヤがるのは、自分らに乗りこまれることだと重々承知している。そこが突破口となるわけだ。

「なら、行かんといてやる。ここで話をつけようぜ」

となって、占有しているヤクザに相当額のカネを払わざるを得なくなる。

そこでJ氏はどういうかといえば――、

「いやあ、来てもらっても、そろそろ退社の時間ですので、私、帰ります」

という。その言葉に、ヤクザは啞然とし、一瞬わが耳を疑うのだが、すぐに怒り狂うことになる。

「こ、このヤロー！　ふざけたこといってんじゃねえ！　待ってろ！」

とうなりまくるのだ。

J氏のほうは、これに決して調子をあわせない。

「いやあ、怖いですし……」

と、のらりくらりとかわすという。ノレンに腕押しというヤツである。

この手合いのヤクザのほうも、

「あわよくばカネにしたい……」

の気持で来ているだけで、昨今の逆風を骨身にしみて知っており、警察に捕まるのを何よりイヤがっているから、最終的には引きさがるという。

J氏は、バブル崩壊後も不動産の世界で生き抜いているだけに、なかなかタフなところを見せつける。

「この御時世です。簡単にヤクザの脅しに屈していたらわれわれも潰れてしまいます。できる限り闘いますよ」

ここまでいいきるだけに、その筋の人なのではないかと間違われることも多いほど、容姿も貫禄たっぷりだ。

しかし、海千山千のJ氏も絶対に手を引く場合があるという。

「背水の陣で来るヤクザに対しては、こちらは引きます。やはり何のかんのといっても、ヤクザは殺人まですする。その覚悟があるわけで、われわれにはそこまでできない。ヤクザにとって背水の陣というのは、最初から組織名と自分の名前を名のって、責任の所在を明らかにして話をしにくるときのことです。そのときのヤクザは絶対に条件を呑ませるぞという覚悟で来ているわけです。もうこの時点で、はっきりいってこっちに勝ち目はない。このときは、ハハーといって、おとなしく引きさがらざるを得ませんね」

とJ氏。

暴対法施行以降、代紋をバックにした交渉はすべて脅迫とみなされる。だから、ヤクザもおいそれと肩書きを表に出さない。出してきたときは、肚《はら》を括《くく》っているときなのだ、ともいえよう。

では、反対にヤクザを手玉にとっている人種がいるといったら、信じてもらえるだろうか。

世にいう詐欺師《さぎし》である。掛けあいのプロ、交渉力のある百戦錬磨のヤクザも、口八丁手八丁の詐欺師にしてやられることは多い。

いや、詐欺師にいわせれば、世の中で一番騙しやすいのはヤクザ、ということになる。

関東に基盤を持つ三次団体組長が、こうボヤく。

「何度いってもカネを返さないヤツがいたな。こいつには往生した。かといって、逃げるわけじゃないんだよ、こいつは。事務所に何日の何時に来いといえば、その通りに来る。時間も遅れないんだ。しかし、カネはなかなかつくらない。何してもダメ。初めは脅かしたけど、怯《おび》えたふりして怯えていない。いるんだよな、こういうヤツは（笑）」

この組長、業界では債権取りたてのエキスパートとして名も馳せており、成功率は九九％だと豪語していたほど。その上をいく詐欺師がいたわけだ。

「普通は逃げるんだよ、最終的にカネをつくれないときは。で、オレたちとしても人間の心理として、逃げれば追いかける。でも、逃げなきゃ追いかけることができないだろ」

この詐欺師も業界では有名な人物らしい。いくらカネをつくれといっても、逃げずに約束の日時に事務所にやってきては、

「いや、私は努力しているんですよ。ホントに努力しているんですよ」

とさも誠実そうにいうのだという。

「バカヤロー、このヤロー」

とはいえるが、この御時世、殺すぞとまではいえない。じゃあ、いつまでにならカネをつくって事務所に来るんだ、と聞けば、いついつに来るという。そしてまたその日時に約束通り事務所に来る。が、カネは持ってこない。

「ホントに努力したんですよぉ」

と、この繰り返しだという。詐欺師の詐欺師たるゆえんだが、「一所懸命に努力している誠実な男」を演じているわけである。

組長はこの詐欺師といままで百回は会っているのだが、いまだに借金は返らない。

この組長が貸している金額は二千万円。詐欺師が無事でいるのが不思議なくらいだが、なにしろ、この男、他の組からも借りていて、借金の総額は九億五千万円にものぼる

という。

「借金の額があまりにも大きすぎるから殺すに殺せないわけよ。借金の多い人間は殺せないんだよな。取りたてる側も小さい額のほうが感情的になりやすい。ついカッとなって手を出してしまうものなのだが、九億五千万円だと殺すわけにはいかんだろ。何でそんなヤツにカネを貸すのかだって？　こいつ、話が上手いんだよな。組長、あなただけにおいしい話を持ってきました、なんていってくるんだな。で、その話にいつのまにか乗っかってしまい、それがヤツのカネを返さないいいわけの材料になってしまうわけだ」

ある種の詐欺師はヤクザの心理を読むのが非常に上手い。ヤクザ慣れしているといってもいいのだが、簡単にヤクザの懐深く入りこんでくる。ヤクザの多くは一本気で単純なところがあって、自分を騙すようなヤツが世の中に存在するわけがないと思っている。そこを巧みに突いてくるのが、詐欺師なのだ。

「いやあ、組長はたいしたもんですよ。その若さでここまでやるとはさすがです」

などと見え見えのお世辞とわかっていても、組長のほうも、

「バカヤロー、調子のいいことといってんじゃねえ。早くカネ返せ」

といいつつも悪い気がしないのが人情で、そうやって詐欺師はヤクザを、いわば籠《ろう》絡《らく》していくわけである。

「うちの事務所に来るときも、逃げられないように他の組の付け馬がついてくるんだな。見ていると、その付け馬が『社長、あと十五分やで』なんて脅してるんだけど、最初はもう『すみません、すみません』だよ。で、オレが一カ月ぐらい経ったあとに、どうなったのかなと思っていたら、その組のヤツが詐欺師の運転手みたいになってやがる。付け馬が運転手になってるんだ。しまいには、『いやあ、煙草買ってきてくんないかなあ』なんて頼んでる。で、若い衆が買いに行ってる。そのくらい読まれてしまってるんだな。初めは『ハイ、ハイ、ハイ』なんだけど、しまいには掌に乗っけられてるんだよ、ヤクザが、詐欺師に」

組長も呆れ顔で嘆くことしきりだった。

では、こういう手合い、カタギでもなければヤクザでもない、したたかな詐欺師を相手に交渉し、これを追いこむにはどうすればいいのか。

都内の繁華街に事務所を置く三次団体幹部に話を聞いた。

「まあ、オレらは基本的に人様にいちゃもんをつけてカネをむしりとっているわけだけど、こっちが逆にむしりとられてるケースもあるわけだな。詐欺師に騙されてな。悪いヤローがいるんだよ。こんな純でか弱いヤクザを騙すんだからな（笑）。さらって簀巻《すま》きにして山の中へ放っぽり投げるという手もあるけど、それじゃオレたちが御用になってしまうからな。そんな詐欺師ヤローのために、かわいい若い衆を懲役にはやれないよ。で、どうするかって？　この間はこんな手で成功したなあ……」

と、この組長が話してくれたのは、こういうやりかたであった——。

そのしたたかな詐欺師を事務所に呼んで、

「どうだ、カネは持ってきたか」

と組長が聞いても、

「いやあ、どうにもできなくて……申しわけありません。この次には必ず……」

といつも通りの答えが返ってくるのは、その日も同じだった。

脅しても何しても効果がないのはわかりきったことだった。なにしろ、相手は殴られようが何しようがこたえない手合いだった。むしろ殴られたらこっちのもの、と思っているような人種なのだ。

「そうか、そらしようがないな。若い衆でな、あまりにオヤジを舐めるにも程があるっていきりたってるのもいるんだけど、払えんものは払えんしな」

組長がやさしくいうのに、詐欺師は神妙にうなだれて聞いている。

「若い衆はそういうけど、オレはあんたのことを信用してるから。すっぽかしたこともないしな。うん、信用してるんだよ。ただな、来てくれるのはいいんだが、こう毎回、あんたはこうやってうちの事務所にも必ず来てくれるからな。現に呼びだせば、毎回、実がないというのは、どんなもんかと思うんだよ。が、いいだろう。オレはあんたをずっと待つことにするよ。あんただって苦しいんだろうからな。ただ、オレらとあんたとの接点が、そっちの会社とケータイだけというのも、正直不安だな。いやいや、何度もいうが、信用してないんじゃない。オレはあんたをずっと待つよ。ただ、一応、自宅のほうの連絡先も教えといてくれないか。まだ聞いてなかったな。どうせあんたも、女房子どもの待つ自宅なんかにはずっと帰ってないんだろうけどな……」

この組長の言葉を聞いて、詐欺師は内心でホッとしたのは確かだった。

〈なんだ、そんなもんでいいのか。ヤクザなんてチョロいもんだな〉

と拍子抜けするほどだった。さすがの鉄面皮の詐欺師でも、いくらなんでも今日ばかりはどんな目にあわされるかわからない――というい〈ばくかの恐怖と不安感があったのも事実であった。

詐欺師は、内心のうれしさを懸命に隠し、さっさとメモ用紙に自宅の住所と電話番号を書いた。

それを組長に手渡したとき、組長の態度が一変した。組長、そのメモ用紙を放り捨てるや、

「こらあ！　おい、このヤロー！　おまえは人間じゃない。おまえは自分が助かりたいばっかりに、女房子どもを売ったんだぞ！」

と詐欺師を怒鳴りつけたのだ。

ハッとする詐欺師。小学校にあがったばっかりの娘の顔も浮かんできた。カネ繰りに追われてもうここ何カ月も会っていなかった。

〈ミオ……オレはなんてことを……〉

詐欺師から普通の人間に戻った瞬間であった。

組長がこういう。

「『おまえは人間じゃない。こんなもん、いるか』と詐欺師にメモ用紙を放り投げて

やる。そうやられると、たいていの詐欺師は人間に戻る。『娘を売ってしまった私は何なのだ？』と涙を流すわけだ。そこまでやれば、大概の詐欺師はカネを払うね」

ヤクザでも手を焼くすれっからしの詐欺師にも、もちろん人間性は残っているわけで、そこを突くのである。

「あんなハシにも棒にもかからない詐欺師を普通の人間に戻させてやっているんだから、オレたちもいいことやってるんだよ。だろ？　ただね、オレの場合、相手が詐欺師だととことんやれるんだけど、その詐欺師がコロッと人間に戻ったら、今度はこっちの良心が痛むんだよね。罪悪感が生まれてしまうのね。この前もそうだったけど、詐欺師がカネをつくって持ってきたときに、『おまえな、よく死ななかったな』というと、『電車がこの事務所のある駅に着いたとき、ホームに飛び降りようと思いました』というんだよな。そうすると、やっぱり傷が残る。なんか、お互いしんみりしちゃうんだよな」

詐欺師と一緒にヤクザまで普通に戻ってしまうわけである。

組長は最後にこういった。

「でもな、そういう傷がわかんないヤツは、いつのまにか親分をころころ替えたり、クスリの商売を始めたりして塀の向こう側に行っちゃうんだろうな。やっぱり人間の修業を積まないとダメだよな。まったく大変だよ、オレらの稼業も……」

誠に人間くさい話ではあろう。

3

ヤクザのクレームはカタギのそれとは大いに違って、執拗かつ恐ろしいものと相場は決まっているが、クレームといちゃもん・因縁・いいがかり・難くせとの違いは甚だ微妙である。

ヤクザが矛先を向けるひとつに、彼らのことをとりあげるマスコミがある。それは場合によっては彼らの格好の脅しのターゲットになるときもある。

明らかに事実誤認の記事はもとより、憶測や想像で書いたもの、警察情報だけをもとにした悪意に充ちたもの、いや、事実であっても、そうであればこそ逆に彼らの逆《げき》鱗《りん》に触れるものもあるわけで、雑誌なら編集者が、

「こらあ、おんどれらあ、ふざけたこと書きやがって、承知せえへんぞ！」

といった、思わず体が震えてくるような脅し文句を、電話口から聞くことになる。

数年前まで実話系雑誌の編集長をしていたJ氏に話を聞いてみた。

「火事と同じで、ヤクザのクレームは初期消火が一番大事なんだよ。早期発見、早期対処。燃え広がる前に対処しないと、それこそ出版社自体がなくなってしまうような事態になりかねない。怒鳴られるだけで済んだのが、『じゃあ、いまから全員連れてそこに乗りこむぞ』ということになるかも知れない。その第一点を押さえることができるか、できないのか、それがまず重要だ」

この元編集長のJ氏、

「あまり話すとこの話をもとにヤクザが学ぶかも知れないが……」

と前置きしたうえで、口を開いた。

「速やかに消火ポイントを押さえられるか。それにはまず相手の目的を見極める。カネが目的なのか、それとも名誉なのか。単にストレス解消で電話しているだけなのか。その見極めができて、初めて交渉が開始される」

まず最初に素姓を聞く。名前は名のったのか、組織名はいったのか。いってきているものには、こちらに落ち度があるのか、ないのか。

この時点ですでに四つに分かれる。名前を名のってこちらに落ち度がある。名前を名のらずこちらに落ち度がある。名前を名のってこちらに落ち度がない。名前を名のらずこちらに落ち度がない。そして目的は何なのか、を見極めるのだ。それぞれによって対応は違ってくるのだ。

たとえば、相手は名前も名のらず、こちらに非もないとする。でも、謝ってしまった。こうなった場合、ヤクザはカサにかかって攻めこんでくる。

また、落ち度がなくても、わからない人間がたまたま電話に出て、

「じゃあ、担当の者に電話させます」

と答えておきながら、それを無視したら、こちらに乗りこんでくる理由ができてしまう。

いずれにしろ、こういう問題に精通している者がいないとダメという。

「どこで相手の尻尾《しっぽ》をつかみ、優位に立てるか。五分五分だったものから優位に立つには相手の尻尾をつかまなければならない。そこを攻めていく。もちろんヤクザも同じようなことをやってくる。こちらは尻尾をつかまえられないように、どんどん尻尾を切っていくしかない」

ヤクザ相手の対応は、当然ながら一筋縄ではいかない。カタギ対カタギのものと同一と考えてはならない。

「対ヤクザの交渉ごとは裁判ではない。そういう頭でいる限りは絶対にダメ。まず失敗する。簡単なものだったら、相手の気分をよくすれば、『おお、わかった』となるわけ。気分を害して、カッとさせてしまうと、ヤクザならば傷害事件から殺人まである。そういう恐怖はこちらにはずっとつきまとう」

たとえば、こちらにそんな大きな非があるとは認められず、どう考えても恐喝のための恐喝、いちゃもん・因縁の類いで、あからさまにカネを要求してくるのであれば、

「公権力に頼ります。それは当然のことです。法律も頭にいれたうえでね。でも、ヤクザにそんなことをストレートにいおうものなら、『上等じゃないか』と、余計にカッカしてくるからね」

ヤクザは落としどころも知っていれば、法律に触れる触れないの、境界線も知っているのだ。

「それ、恐喝ですよ」

などと指摘すれば、ヤクザは逆に燃えるというのだ。

いわれなくても当然計算に入れているわけで、いってみれば、その道のプロである。

「じゃあ、やめとくわ」

なんていって引きさがっていたら、メシが食えない。どこまでいってはいけないかということは全部知っているのだ。

だから、ヤクザに対してストレートにいくのはタブー、と、元編集長のJ氏は自らの体験を語る。

「遠まわしでもなんでも、自分はカネを払うつもりはないということを相手にわからせる。なおかつ、これ以上やるとこいつはそのままおまわりさんのところに行きそうだなと思わせる」

連中の決まり文句はいくつかあって、

「誠意を見せろ」

というのもそのひとつだ。それに対しては、

「誠意といわれましても、われわれは精一杯の誠意を見せようと思っています。できることはやろうと思っています。ただし、できないことは許してください」

と答えるという。

慣れているヤクザは、カネのカの字もいわない。しかし、なかには、

「指詰めろ！」

と、とんでもないことをいってくる者もいる。それをいわれれば、

「指詰めろといわれましても、私はカタギですので、それだけは勘弁していただきたいと思います」

と、穏やかにきり返す。

「じゃあ、何やれるんだ」

と聞かれれば、反対に、

「教えてください」

「教えてくれだと⁉　自分で考えろ！」

「いや、おまえが考えろといわれましても、こういうことは初めてのケースなので教えてください」

何回もあったケースだとしても、こういうのだという。

大事なのは、このやりとりの最中に言質《げんち》をとることだという。

「じゃあ、カネだ」

といえば、すぐ警察に電話すれば捕まえられる。もちろん電話の会話内容はテープで録音しておく。していない場合でも、名刺をとっておく。

「もし、最悪のことになったら警察に力を借りて対決をしない。最悪の場合に備えて担保をとっておくわけね。最低限これだけは押さえておかないといけない。でも、露骨にカネを出せ、なんてことはめったにいわないけどね」

本当に厄介なのは、カネをむしりとりたい一心でいちゃもんをつけてくる輩《やから》ではない。こういう連中はむしろなんでもないのだが、問題はカネが目的ではないケースである。

元編集長のJ氏にもこんな体験がある――。

それはJ氏が外出中のときだった。事務所にはアルバイトの男の子が一人だけいた。すると、

「原稿を渡したいのですが、編集長はいますか？」

という電話がかかってきた。原稿を持ってくるのに、名前も名のらないというのは明らかにおかしい。この番号のこの場所に対象がいるかどうかを確認してきたのだ。

そしてすぐにチャイムが鳴った。

ドアを開けたら、閉められないようにすぐに足がパッと入ってきた。一見して、その筋の者とわかる三人組であった。

アルバイトの男の子が、真っ青になって、

「どちらさまですか？」

と訊くと、

「いや、編集長にちょっと話がある」

としかいわない。名前は絶対に名のらない。

アルバイトがあわててJ氏に連絡を入れた。

「いま、編集部のほうに見えてるんですけど……」

これはヤクザのほうも半端な覚悟ではない、本気で来ている——とピンと感じたJ氏は、一時間後に某所で会う約束をした。

約束の場所に赴《おもむ》くと、三人組が待っていた。キンピカファッションに身を包んでいる。パンチパーマもいれば、サングラスもいる。

「編集長さんよ、よくないねえ、この記事」

椅子にすわるなり、J氏が編集長をつとめる雑誌を取りだし、該当記事を開いた。

見ると、傍線が引いてある。

「ワシらの一家が辱《はずかし》められている。ワシらが恥かいとるんよ」

と静かに切りだした。J氏にすれば、ギャンギャンうなりまくられるよりも、はるかに迫力があって、恐ろしかった。

それはある抗争事件の記述についてのものだったが、相手ヤクザが要求してきたのは、

「この記事は間違っている。この情報を教えたのは誰か。それさえいえば、許してやる」

とのことだった。J氏はビビリまくった当時のことをこう振り返る。

「いえるわけないですよ。もし、私が教えれば、ヘタすれば抗争になってしまう。誰から聞いたのかっていうからには、そこと喧嘩する覚悟で来ているわけですよ。ヘタすれば殺しに行くわけ。それが私のひと言で決まっちゃうわけよ。いえるわけないよね。でも、私も助かりたいことは助かりたい」

そのまま山の中にさらわれてしまう事態まで考えたという。「いえません」「いえ」の堂々めぐりになったが、もとよりそのままでは収まらない。

「いってしまったら、今後、私はこの世界で生きられない。でも、相手のヤクザも、このままだと生きていかれない」

J氏は困り果てた末に、決断した。

「すみません。これは情報をきちんと聞いて書いたのではなく、われわれが勝手に解釈して書いたものです。ですから、この記述はわれわれの勘違いでした」

すべて自分たちのミスであるということにしたのだ。

「腕の一本は折られるかも知れないが、殺しはしないだろう、と肚を括ったね。丸く収まるのであれば、こっちのほうがいいだろうとね。でも、疲れたけどね。途中からヤクザの腰が前かがみになってくる。それに普通では考えられないほど上の人間が来ていたからね。それも名だたる武闘派。逆にそのくらいのレベルの人間が来ているということは、カネではないとすぐにわかった」

結局、J氏側はひたすら謝罪し、翌月号で大々的な「お詫びと訂正」を掲載することで、なんとか事なきを得たのだった。

ただし、その訂正文にも最大限気をつかうことになった。ヘタなことを書けば、今度は逆に別の抗争当事者側の面子《メンツ》を傷つけることになり、そっちから逆ネジを食らわないとも限らない。こちら立てればあちら立たずになってしまう。

　そこを十二分に配慮し、吟味を重ね、クレームのあった側の面子を立てると同時に、相手側をも傷つけずに済むギリギリの訂正文を完成させたのだった。

「やはりこういうことを長くやっていると、頭の中がヤクザの世界になる。だから、掛けあいに行くときは下着を新しくする。もし、殺されたときに汚ないパンツだったら嫌だからとかね。やはり肚を括っていかないと、ヤクザも聞いてくれないでしょ。ごまかそうと思っていってもすぐにわかってしまうしね。場慣れしないとね。でも、もうしたくないね」

　とJ氏は苦笑しながら振り返った。

4

　経済ヤクザとしてつとに名を馳せる広域系三次団体組長のM氏。

　彼にはもうひとつ、右翼団体会長としての顔もあり、いまは休刊中だが、以前は機関紙も発行していた。

その機関紙を購読してもらうために、かつてはよく企業まわりも行なったという。

「いまはできなくなったけど、昔は二百社ぐらいの企業に、うちの新聞を購読してもらってたからね。で、新規開拓しようといろんな企業をまわってたとき、総務課へ行ってもあまり色よい返事をくれないところもあったわけだ。けど、それで黙ってすごすごと引きあげたんじゃ、名折れってもんだ。そういうときはどうするかっていうと、いい手があるんだよ」

とM氏。

どんな手かというと、

「私どもではこうした新聞はいまのところ購読の予定はありませんので」

と断わってきた総務課の担当に、

「ああ、そうですか。わかりました。どうも総務課じゃ話にならないようですね。じゃあ、直接社長と面会しますからいいですよ。いまから秘書課へ寄って行きますから。秘書課はどこですかね?」

と告げると、相手はあわてふためくというのだ。右翼に秘書課に行かれたのでは、

「何のための総務課だ!? そういうことに対処するための総務だろうが……」

と会社の内部で問題になり、総務課の失点につながるからだ。

「ちょ、ちょっとお待ち願えますか」

あわててM氏たちを引きとめにかかる総務の担当。

「おや、どうかしましたか？」

内心でほくそ笑みながら、とぼけるM氏。

「はい、上の者とも相談いたしまして、先ほどの件、前向きに考えさせていただきたいと思います」

にべもなく断わった最前までとはうって変わって、総務の担当が愛想よくなる。M氏らに秘書課に行かれてはなんとしても困るのだ。それによって会社に波風を立てられ、自分たちのミスにつながるような事態を引き起こされることを考えたら、右翼の機関紙の購読料ぐらい安いものだった。

「おや、さっきとは風向きが変わってきましたね。それは自分たちの申し出を了承していただいたと考えてよろしいわけですか」

あくまでも物腰の柔らかいM氏。

「は、はい。よろしくお願いします」

「御購読ありがとうございます」

最初から最後まで脅しのセリフなど一語も発していないのである。

M氏がいう。

「企業なんてね、どんな企業でも脅そうと思えば、ネタはいくらでもあるんだ。大きくなるのには必ずや悪さもしてるし、突っつかれたくない弱みというものを持ってるからね。そりゃ、えげつないこともやってあくどいカネ儲けしてる。自分らも、そういうところからカネをむしりとっても、罪悪感などまるで感じないもんね」

これは最初の交渉がうまくいかなくて、それならば、と奥の手を出して成功したケースであるわけだが、

「交渉というのは、どこで行なうかという、最初の場所選びの段階からすでに始まっているもんなんだ」

とM氏はいう。

こんなこともあったという。やはり企業との交渉で、M氏たちが三人ほどで相手側の会社に乗りこんでいったときのことだ。

「どんな内容の交渉だったか、いまとなっては忘れたが、それは圧倒的にわれわれに

有利、企業側には不利な交渉だったわけだよ。企業にすれば、申し開きの余地もないような失態でね」

当然ながら、M氏たちは応接室に通され、会社の偉いさんたちが応対に出てくるわけである。

そこでM氏はハタと考えた。

〈待てよ。会社の応接室というのは、いわば密室だ。こんな自分たちのほうが圧倒的に正しく、誰が考えても悪いのは企業だという交渉ごとに、密室を使うという手はないわな。それでなくても、世間じゃわれわれのほうが悪者で通ってるんだ。こういう状況じゃ、分のいい話も悪くなってしまう。あとでこいつらに、右翼やヤクザに脅かされたって、ありもしないことをでっちあげられてもかなわんしな……よし、ここはガラス張りの交渉というもんをやろう〉

M氏はさっそくその考えを企業側に申し出た。

「どうですか、われわれとすれば、密室でこそこそ話したくない。いっそ下の受付け前のホールで話しあいませんか。誰に見られようが、誰に話を聞かれようが、疚《やま》しいことはひとつもありませんから」

「えっ、あそこでですか」

M氏の提案に、企業のお偉いさんたちは少なからず意表を突かれたようだった。

そこは、会社を訪ねてくる客が必ず通る、人の行き来が最も激しい場所であった。

「そうですよ。構わないでしょ」

M氏は有無をいわせなかった。すでに応接室を出てそこへ向かおうとしている。

企業側にすれば、

「いや、あそこでやるわけにはいきません」

と拒否したいのは山々だったが、それをできないところが、交渉は端からM氏側のペースで進められていることを証明していた。

さて、会社のお偉いさんたちと、いかにも裏社会の住人にしか見えない、怖そうな連中がゾロゾロ目の前に現われたのを見て、まずびっくりしたのは受付嬢であった。

一行はホールの目と鼻の先のソファーにすわって、何やら話しあいを始めだした。

その様子は、そこを通る社員や来客たちには、嫌でも目につき、みなが、

〈いったい何ごとだろう?〉

と興味津々といったふうに、それでも恐々とうかがいながら通りすぎていく。

なかには立ち止まって眺め、聞き耳をたてる好奇心の旺盛な者もいた。

それはどう見ても話しあいという様子ではなく、ガラの悪い、怖いお兄さんたちに企業側がさんざんやりこめられ、頭をさげているという図にしか見えなかった。

事実、その通りであったわけだが、会社のお偉いさんたちにすれば、針のムシロである。

来客の目に、この場の情景がどう映っているかと思うと、気が気でなかった。

〈何だ、この会社は。あんなヤクザみたいな連中に脅かされて、ペコペコ頭さげて、そんなに何か良からぬことをしてるのか？〉

というふうに見られているとしたら、社会的信用はガタ落ちであった。

「わかりました。そちらさまの納得するような形でやらせていただきますので、どうか今日のところはひとつこのへんで……」

追いつめられた会社側は、一刻も早くこの状況を終わらせたかったから、ほとんど相手のいいなりに話を進めるしかなかった。

M氏にすれば、してやったり——といったところで、内心で快哉《かいさい》を叫んだのだった。

作戦勝ちであろう。

もう一例、総会屋系ヤクザKが、企業につけたいちゃもんのケースを紹介しよう。

ある日、Kが子分を引き連れて大手電機企業に乗りこんだときのことだ。

会社のエレベーターに乗ろうとしたところ、満員である。気勢を削がれて、「ん？」となっていると、ちょっと先にほとんど使われていないエレベーターがあるではないか。

不思議に思いながらも、Kはそれに乗ろうとした。

すると、係りの者が飛んできた。

「それは役員専用エレベーターでございまして、一般のお客様は御使用できないことになっております」

という。

「何ィ！」

ネタが向こうから飛んできやがった——と、Kは舌舐めずりしながら、総務課へ勇んでネジこんでいった。

「おまえら、役員専用エレベーターとは何事だ。お客様専用エレベーターとか株主様専用エレベーターならわかるけど、役員といえども誰のおかげで商売やってるんだ。ええっ、この会社が成り立ってるのは、株主とかお客様とかで成り立ってるんじゃねえのか。オレだって株主だ。その株主やお客様をさしおいて、役員専用エレベーターとはいったいどういう了見なんだ。そんなもん設置すること自体おかしいだろ。どうなんだ、オレのいうことは間違ってるか？」

Kがすごい見幕でまくしたてたから、総務の担当もタジタジである。

「はい、おっしゃる通り、株主様やお客様が何より大事なのは、私どもも重々承知いたしております」

との答えに、Kがカサにかかって攻めたてる。

「よし、このことを会社が悪いと認めたんだな。ようし、わかった。じゃあ、文書にしろ。口先だけでは信用できない」

文書にしたり、テープに残すといったことを、会社は極力嫌がるものだ。

それをしたくないからこそ、

「カネで解決」

するほうを選ぶのだ。

もとより、Kもそんなことは百も承知。それを見越したうえでいちゃもんをつけているのだ。

「今日のところはこれで」

と企業側が用意したなにがしかのカネを懐にして引きあげていくことになるのだった。

5

暴対法が施行されて十年――。ヤクザ社会も大きく変わった。

まず何が変わったかといえば、よく指摘されることだが、ヤクザがまるで目立たなくなった。いったい彼らはどこへ行ってしまったのだろうという感じなのだ。

街のどこへ行っても、いかにも「ヤクザでござい」といった、パンチパーマやスキンヘッド、キンキラファッションに身を固めた、極道スタイル丸出しの人たちにはとんとお目にかかれなくなったのだ。

昔なら、ネオン街へ行けば、必ず彼らの闊歩する姿にお目にかかれたものだ。いや、昼でもバブルのころはシティホテルへ行けば、明らかにその筋とわかる連中がロビーや喫茶室で商談する姿が見られたものである。

なにしろ、姿格好、風貌、ファッションを見れば、ひと目でヤクザであるな、とわかったのである。

街を走る車を見ても、アラブの王様が乗るような車体の長いリムジンはいわずもがな、ベンツを覗くと、まず十中八九、業界の人たちであった。

つまり、彼らもかつては堂々とヤクザをやっていたのである。

ところが、昨今は外見からだけでは、まるでカタギと区別のつかない人が多くなってきた。

ベンツなんか見ても、運転しているのは明らかにカタギの人たちばかりである。

組事務所にしても、どこにあるのだろうというふうで、所在も定かでない。

いったい彼らはどこへ消えてしまったのだろうか。

暴対法施行以後、盛んにヤクザのマフィア化がいわれるようになったわけだが、それはこういうところにも顕著になっているということなのだろうか。

ある関東の若手組長がこういう。

「いや、マフィアになろうという気はさらさらないし、日本のヤクザがマフィア化するわけもないよ。それはまったく日本のヤクザとは異質なもので、馴染《なじ》まないもんだから。ただ、いまは、ヤクザでござい、といってもいいことなんかひとつもないからね。もうそういう時代じゃない。ヤクザであることを隠すというんじゃなく、私が若い衆につねづねいってるのは、ヤクザと見られるような格好や言動はもうやめろ、ともかくカタギに同化しろ、と」

昔と違って、外見だけでは誰がヤクザで誰がカタギかわからない時代になってきて、ひとつ厄介な問題が出てきた。

カタギのなかには、相手がヤクザとわからず、ただ単に、

「生意気なおっさん」

にしか見えないものだから、街やそこらでちょっとしたことから口論となり、喧嘩してしまう輩も増えてきたことだ。

たとえば、駐車場などで、ベンツの駐《と》めかたが悪いと、若者が隣りあわせた国産車のおっさんに注意された。

ベンツの若者はカタギのサラリーマン、国産車のおっさんは実はそこそこの若い衆

を抱えるヤクザの組長であった（最近はこうした逆転現象が起きているのだ）。

ベンツのほうは学生時代に空手もやり、腕に覚えのある二十代の若者、国産車のおっさんのほうは、どう見ても銀行マンか学校の先生といったふうの四十代の紳士である。

「何を！　このおっさん、誰にものをいってるんだ！」

若者はまさか相手がヤクザとは想像もつかないものだから、注意されてカッときた。

怖いもの知らずの若者は、おっさん、実は組長の胸倉を摑んで凄んだ。

組長がその手を振り払う。

「ヤロー！」

若者が無謀にも殴りかかっていく。

一対一の喧嘩となれば、この若者のほうが圧倒的に強く、たちまち組長を組み伏せてしまった。

このとき、たまたま現場を離れていた組長のお伴が戻ってきて、これを目《ま》のあたりにして逆上、

「大変だ。オヤジがやられてる。すぐ来てくれ」

とケータイで近くにいる仲間に連絡をいれるや、すぐさま若者に躍りかかっていった。

このあと、若者がどれだけひどい仕打ちを受けるハメになったかは、おおよそ想像できるであろうか。

本来、ヤクザがカタギの人間に手を出すなどということは言語道断、あってはならないこととされる。本物の任侠人なら、カタギに殴られても笑って済まして我慢するであろう。

ただ、昨今は任侠人のモラルも地に堕ちた感があって、掟《おきて》破りも横行し、ヤクザ社会もさながら「何でもあり」の様相を呈してきている。

まして、この場合、組長がやられているのを目のあたりにした若い衆にすれば、逆上するなというほうが無理であろう。

それにしても、いくら腕に覚えがある若者でも、相手をヤクザの組長と知って喧嘩する者などいるであろうか。

触らぬ神にたたりなし、君子危うきに近寄らず——で、誰でもこれを避けて通るのは間違いない。

そりゃあ、一対一の素手の喧嘩なら、ヤクザより強いカタギはゴマンといるだろう。空手やボクシングで鍛えている猛者ならなおさらだ。

だが、どうあがいても最終的には素人はヤクザには勝てない。ヤクザはいわば喧嘩のプロ、喧嘩に負けたら明日からメシの食いあげになってしまう。どんな手段を使っても、ヤクザは喧嘩に勝たなければならないからだ。

であればこそ、ヤクザに喧嘩を売るバカはいないわけである。

ところが、どう見たってヤクザの親分にはつゆ見えないおっさんに、いきなり街なかでからまれ、

「こらっ、気いつけんかい！」

などといわれれば、酒でもちょっと入っていればなおさらのこと、

「生意気なおっさんやな、こいつは」

とつい突っかかっていってしまう若者やサラリーマンも出てくるだろう。

なにしろ、どこからどう見てもヤクザには見えないのだから仕方ない。

が、それが悲劇の始まりとなってしまうのではたまらない。

これも暴対法のひとつの弊害といってしまえばいいすぎかも知れないが、昔のよう

にヤクザがひと目でヤクザとわかる格好をしてもらったほうが間違いが起きないことだけは確かであろう。

ところが、ヤクザのなかには昔からこれを逆手にとったシノギがあるというから驚きである。

ここに、触れれば倒れるようなガリガリに痩せた体つきのヤクザがいて、顔も貧相で、仮にHとしておこう。

HのシノギはずばりI殴られ屋」である。主なターゲットは大手企業に勤めるサラリーマンだ。

Hは安もののスーツに身を包み、スナックやパブ、クラブといったところに繰りだして網を張る。

カモを見つけると、酔った振りをしてわざと彼らに喧嘩を売るのだ。相手がカラオケを始めれば、

「やめろ、やめろ、ヘタクソ。酒がまずくなる」

と挑発し、トイレで行き違えば、

「肩が触れた」

と因縁をつける。とにかくどんないちゃもんでもいいのだ。

「何だ、君は酔っているのか」

などと、相手が挑発に乗ってくれれば、こちらのものなのだ。

「酔ってなんかいない。おたくのヘタクソな歌ですっかり酔いが醒めてしまっただけだ」

とさらに挑発すれば、大概の者は、

「何を！　このヤロー！」

となること請けあい。サラリーマンは大抵四、五人で来てるから、同僚や店の女の子の手前、どうしても格好つけたがるものだ。

「相手にしないほうがいいわよ」

などと女の子にいわれても、もう止まらない。相手はまったく強そうに見えないし、あからさまに喧嘩を売られている以上、そのサラリーマンも喧嘩を買わないわけにはいかなくなるのだ。

Hにとって、あとは相手が殴ってくれさえすればしめたもの。もちろんそういうようにしむけるのはいうまでもない。

結果、次に展開されるのは、殴られて床に沈んだHの、

「オレが悪かった。勘弁してくれ」

と哀願する姿。サラリーマンの勝ち誇った顔……ということになるのだが、翌日、立場は逆転する。逆にサラリーマン氏は地獄に突き落とされるハメになる。

彼の会社に、ハデな包帯を巻いたHが現われるからだ。

最近ではこのシノギ、もっとセコくなって大学生相手に行なっているヤクザがいるというから、世も末だ。

その当人——三十代のうだつのあがらぬ組員Yがこう証言する。

「大学生のバカどもは甘やかされて育ってるし、すぐに調子に乗る。コンパがあったのか、酒を浴びるほど飲んで正体がなくなってるヤツなんて、大学近くの駅前にたくさんいるだろ。

オレはそいつらに殴られる。軽く肩をぶつけ、まず相手を睨む。そしてツバを吐く。そこまでしておいて、急に弱々しい態度で『すまん』といって、うしろを見る。

そうすると、酔っ払ったバカ学生が、『何だあ、こらあ！』とかイキがって胸倉を摑んでくる。もうそれでオッケーだ。

オレは抵抗してるふりして、そいつの手に自分の口をぶつける。そうやっといて自分で唇を噛むんだ。血が出るわな、それなりに。

そうやっておいて仲間か誰かが止めに入ると、そのドサクサにまぎれてすっころぶ。それで足がやられただの、いうわけだ。

でも、手はしっかりと相手の足を摑んでるよ。逃げられないためにね。別にその場で逃げられても、どこの大学生なのかわかるし、すぐにそいつの住所をつきとめてやる。簡単なことだ。

そのまま騒いでいれば、誰かが通報してくれて警察が来る。駅前だったら派出所があるから、すぐ来るわな。それでオレは足をひきずりながら、件《くだん》の学生と一緒に派出所に行くわけだ。

学生はいうわな。殴ってないだの、肩がぶつかっただの、と。でも、現実にオレは怪我してる。まあ、軽傷だし、と警察官も最初はオレをなだめるが、オレは、絶対に訴えてやる、だのなんだのいう。

こうなると、もう学生もすっかり酔いが醒めて、

『じゃあ、どうすればいいんですか？』

って聞いてくるよな。それに対しては、

『誠意を見せてくれ』

としかいわないよ、オレは。

ここまでくると、警察官もよくわかったもので、学生に、

『あんたも、面倒くさいヤツにひっかかったね』

とかなんとかいってるよ。

そこで警察官立ちあいのもと、お互いの住所と名前を聞くわけだ。あとはそいつから電話がかかってくるのを待つのもよし。こちらから出向くのもよし、だ。

まあ、だいたい先方からかかってくるけどな。

『お詫びをしたいのですが』

と。これで、一丁あがりだ」

学生は問題を起こせば、退学か停学処分になると考える。それよりも親のほうが心配し示談に持ちこむのだろう。

では、この任侠道からは程遠いことをやっているY、いったいどのくらいのカネをふんだくるのだろうか。

「幅があるな。それは相手の経済次第だが、まあ、大学に通わせてるだけに、それなりにカネは持ってるわけだろ。最低十万だな。多いとき？　相手の親が資産家だったりしたら、それこそ青天井だよ。オレの場合、最高二百万とったこともあるがな」

バカな子どもを持つと、親も大変だ。いや、それ以上に、ヤクザにもさまざまな手合いがいるものだ。

最後に、このY、ニヤリとしていった。

「このシノギをやってると、殴られるともう有頂天になってしまうんだな。それで駅のホームだったんだが、駅員がとっくみあいをしてるオレとカモとを引き離そうとしたんだよな。

オレはついいっちゃったんだ、

『うるせえ、こんなカネづる離すわけないだろう！』

って。思わず口をすべらしてしまったよ。ガハハハハ。駅員もカモも、何のこっちゃ、って怪訝な顔をしてたっけなあ」

まったくヤクザにもピンからキリまで。

それにしても、表社会も裏社会も、不況はことのほか深刻であることの証しであろうか。

こんないちゃもん、いいがかりがいまだに通用するということ自体が、不思議でならないのだが……。

6

考えてみたら、ヤクザほど自意識が強く、プライドの高い人種もいないのではあるまいか。

他人に弱みを見せたり、安目を売ることを何よりも嫌い、自分の組が一番と思っている連中ばかりなのだ。

マスコミもヤクザの抗争事件などを取りあげるとき、くれぐれも気をつけなければならない。よくよく調べもしないで「組事務所に撃ちこまれた」とか「やられた」「負けた」「逃げた」といった言葉を使おうものなら、あとで大変厄介なことになる場合もある。「組事務所に撃ちこまれた」というのは事実ならともかく、「やられた」「負けた」「逃げた」というのは、何をもって事実とするのか、当事者によって見解の分かれるところだからだ。

「こらあ、うちがやられたとはどういうこっちゃい⁉　やられた、とは。誰がやられたんだ？　うちの組員はみんなピンピンしとるわい！　何を根拠にそういうでたらめを書くんだ。答えんかい！　返答しだいでは許さんぞ！　性根を据えて答えてみんかい！」

つい不用意な記事を書いてしまった編集部は、すさまじい怒声の電話を受けとるハメになるのだ。

「——は、はあ、ですが、事務所に銃弾が撃ちこまれて組員のかたがケガをしたという……」

編集者は生きた心地もなく答える。

「ドアホ！　腕をかすっただけじゃい。そやから、それが何で『やられた』となるんじゃ？　ええっ、うちはな、その前に、倍も三倍も相手をやってるんじゃい！」

「…………」

「おい、何とかいうてみろ！　答えんかったら、いまからそっちへ行くぞ。うちが、やられたというのはどういうこっちゃ？　うちがやられてるか？」

「い、いえ、やられてませんね」

「そやろ、おまえ、いま確かに認めたな。ようし、じゃあ、このケジメ、どうつけてくれるんだ。ワシらがやられたというのは、間違いだったと、いま、おまえは間違いなくいうた。じゃあ、間違った記事を書いた責任をどうとるというんや？」

「——は、はあ、そういわれましても……」

「おまえではわからん。責任者出さんかい！」

事態はもっとおかしくなっていってしまうのだ。

それが「逃げた」などと書いたのでは、もっと始末に負えないものとなる。

「おい、こら、うちの組員の誰が『逃げた』というんだ⁉」

「ですから、撃ちあいの途中で、組員のかたが引きあげた、と」

「おお、その通りやないか。おまえの表現のほうが合ってる。それが何で『逃げた』になるんや？」

「戦いを途中で放棄してその場から去ったから、逃げた、とうちの記者も書いたんだと思います」

「バカヤロー！『引きあげた』と『逃げた』とではまるで違うだろ！おまえんと

こは、うちの組員を甚だしく侮辱し、うちの組を冒瀆《ぼうとく》した。よくもうちの看板に泥を塗ってくれたな。ええ？　おい、組の面子をどうしてくれるんだ⁉　わしらは世間にえらい安目を売ってしまったじゃないか！」

「ですが、警察発表でも『逃げた』といってますし……」

「バカヤロー！　てめえらにはブン屋魂というものがないのか。ブン屋ならてめえの足で調べて書くのが本当だろ。おカミの発表記事ばかり書いてるから、てめえらはダメなんだ。大本営発表じゃないっていうんだ」

「はっ、それは仰せの通りです」

「ともかく、おまえらの記事のおかげで、うちの組は安目を売った。精神的なダメージも大きい。どうしてくれる？」

と延々と続いていくことになるのだ。

それが「負けた」などと書いたのでは、もっと具合いが悪い。

「こらあ！　うちの組が負けたとは何だ⁉　負けたとは！　絶対許さんぞ。うちにはまだ威勢のいい若い衆が山ほど残ってるんだぞ。てめえら三流雑誌社のひとつやふたつ、潰すのはわけないんだぞ！　ええっ！　いまから殴りこんだろか！」

その組は熾烈な抗争で疲弊しきっているはずで、ハッタリとはわかっていても、編集者は足の震えが抑えきれないほど怖い。

「は、はあ、ですが、手打ちもなく、相手の組が一方的に勝利宣言を行なったということですので、それで決着がついたということなら……」

「じゃっかましい！　われわれは敗北したんじゃない。あんなもん、あっちが勝手にいってるだけや」

「じゃあ、抗争はまだ終わってないということですか？」

「じゃっかましい！　そんなことはおまえらには関係ない。いいか、われわれは負けてない。それだけはよく覚えておけ。負けたなどと書きやがったオトシマエはつけてやるから、覚悟しやがれ！」

「…………」

結局は何もなかったのだが、ヤクザに対して「やられた」「逃げた」「負けた」などといった言葉は、禁句ということである。なにしろ、面子で生きているのが彼らだからだ。

都内で渡世を張る四十代の中堅組員で、Uという男の話も面白い。

ある日の朝、Uの奥さんが愛犬（雑種）の散歩をしていた。

そこへ前のほうから二匹のドーベルマンを連れた婦人が歩いてきた。

むろんUの愛犬は尻込みし、道の脇にしゃがみこんだ。そのままやり過ごせばよかったものを、ひと声「キャン」と吼えたからたまらない。

ドーベルマンは、

「バウウ、ガルル！」

と雑種犬を目一杯威嚇する。

情けなくも、Uの愛犬はその場でおもらしをしてしまう。

家に帰ってきたUの妻は、この話を笑いながらUにうちあけた。

すると、Uの顔はみるみる上気し始めたかと思うと、

「舐めやがって！　そんなふざけた話があるかい！　飼い主はいったいどこのどいつじゃ！」

と怒り始めた。

夫人は亭主の見幕にびっくりして、ドーベルマンの飼い主の家を教えた。

Uは血相を変えてその家に怒鳴りこんだのだ。

「おい、おまえのところの犬はそんなに偉いんか、えっ、おい。うちの女房は、仮にも若い者に姐さんと呼ばせとる女じゃ。その女が、たかが犬ごときに道を譲って、道の隅っこでいじけとかなならんのか。おう、ワシも愛犬連れとって、おまえとこの犬が来たら、道譲らんといかんのか？　おい、黙っとらんで何かいってみい！」

驚いたのはドーベルマンの飼い主のほうである。たかが犬の話で、こんなに怒り狂う人間がいることなど信じられない。だが、目の前にいる男は、どうやら本気で怒っているらしい。

平謝りに謝ったうえで、ドーベルマンの飼い主は、

「では、これはそちらさまの愛犬の慰謝料ということで」

二十万円ほど包んだものをUにさしだした。

〈え？〉

今度は逆に内心でビックリしたのは、Uのほうである。

怒りのあまり乗りこんだとはいえ、カネをせしめるつもりなど毛頭なかったからだ。

それでもUはそれを簡単に受けとって、

「わかった。今度だけはそっちの顔を立てよう」

と堂々と懐に収め、同時にそれで怒りも収めた。

聞くと、相手の飼い主は中小企業の社長で、この不況の折にもかかわらず、そう景気は悪くないらしい。

社長は面倒なことになる前に、カネで解決しようと思ったのだろう。あまりにバカバカしいのと、ドーベルマンよりも獰猛そうなヤクザの見幕に恐れをなしたのも確かだった。

Uは家に帰ると、愛犬を怒鳴りつけた。

「コノヤロー！　安目売りやがって！　今度は相手が誰であろうと、死ぬ気で向かっていけ！……まあ、いい。オトシマエはつけてきたから、今回だけは許してやる。だけど、いいか、次にオレに恥をかかすような真似をしたら承知しねえからな。肉にして食っちまうからな」

Uにマジに叱られ、睨みつけられると、愛犬は、

「キャイン」

と鳴いて震えあがった。

その御主人様の顔は、先刻のドーベルマンよりはるかに怖かったからだ。

第三章

現代ヤクザの交渉流儀

いまヤクザ社会において、組織運営上、大きなウエイトを占めているのはブロック制である。

いろんな交渉ごというのもブロックごとに行なわれるシステムになっており、めったに本部が出てくることもない。いったん間違いが起きても、ブロックで責任を持って解決しなければならないのだ。

「何か問題が起きても、ブロックのことはブロックで解決を図れ。本部の手を煩わせてはならない」

というのが、ブロック制の特徴である。

いまブロックでどんなことが行なわれているのか。それを見れば、そのまま現代ヤクザの交渉流儀というものがうかがえるわけでもある。

また、ヤクザ界で交渉といえば、いまも昔も重きをなしているのは、〝盃外交〟であろう。

とりわけ代紋違いの兄弟盃、あるいは組織同士の結縁盃には、ことの他重大な政治的な意味あいが含まれていることが少なくない。パワーオブバランスを企図した〝任侠安保〟〝攻守同盟〟といった性格の盃である。

あるいは過去には、大きな抗争終結を意味する、手打ち式に代わるような兄弟盃の例もあった。

そうした過去の歴史的な盃、また現状はどうなっているかを検証することで、ヤクザの卓抜した外交術、交渉力を知ることにもなるだろう。

そして、〝時の氏神〟といわれる喧嘩の仲裁人。彼こそ第一級の交渉人《ネゴシエイター》であるのは間違いない。その交渉力の凄みは他に比類ないといってもいいのだ。

ブロック制、盃外交、仲裁人——三題噺ではないが、ここにこそ現代ヤクザの交渉術をさぐる鍵が隠されていよう。

一　ブロック制に見るケーススタディ

1

　平成十四年に入って抗争事件が頻発している。四月二十日の中野会ナンバー2の弘田憲二副会長射殺事件に続いて、五月一日には東京・小岩の葬儀会場で発砲事件が起き、組員が一人腹を撃たれて重傷を負った。

　事件は同日昼すぎ、住吉会系組長の葬儀が行なわれている最中に同会場入口付近で起きた。同会系組員がいきなり拳銃数発を発砲、このうち一発が参列者の同会系組員の右脇腹に当たった。この組員はただちに病院に運ばれ、命に別状はなかったものの重傷であった。

撃った男は現場から別の組員らにより連れ去られ、約三十分後、葛飾区青戸の路上で住吉会系組員三人によって車のトランクの中に閉じこめられているのが見つかったという。

昨今のヤクザ抗争の大きな特徴は、極端にテロ化していること、内部抗争の多発、絶対的なタブーがなくなって、襲撃の手段も場所も選ばない「何でもあり」の様相を呈しつつあるということだ。

葬儀場での拳銃発砲というのは、昨年夏にも起きている。稲川会系組幹部ら二人による住吉会最高幹部射殺事件がそれで、関係者のショックもひとかたならぬものがあった。

なんとなれば、いくら対立抗争事件中であっても、葬儀場など、いわゆる義理場での襲撃はヤクザの御法度とされ、それは暗黙の了解事項としてずっと守られてきた。そのあってはならぬ事件が昨年、今年とたて続けに起きたわけで、タブーはあっさり破られた。ヤクザ社会のモラルは崩壊しつつあるということなのだろうか。

だが、今回の葬儀場発砲事件は、死者もなく内輪のトラブルだったこともあって、事態はそれ以上拡大することなく、ただちに収拾がついている。当然ながら関係者たちには、直属の上のクラスまでかなり厳しい処分がくだったという。

大きな抗争事件が勃発してもすぐに話がつくのは関東流の良さであろうし、昨年の通夜射殺事件においても、報復の拳銃発砲音が一発として鳴らなかったのは、奇蹟のような出来事としていまだ記憶に新しい。

「関東では去年から激烈で長期化する抗争事件が多発しており、かつてならどんな大きな間違いが起きても拡大することなくピタッと収まるのが関東ヤクザの流儀であっただけに、もはや関東二十日会の二次抗争消火システムも機能しなくなったと囁かれたものだった。そういう時期にあの通夜の事件が起きたから、これはもう収まりがつくまい、いったい関東ヤクザ界はどうなってしまうのかと誰もが思ったわけだが、間もなく話はついた。懸念されるような全面戦争の方向には向かわなかったし、暴走する者も暴発もなかった。それは見事なものだった。その分、双方とも犠牲は大きかったわけだが、改めて見直されたのが関東ヤクザ界の抗争収拾の鮮やかさ、手際の良さということだった」（事情通）

実際、当時はそうした関東二十日会の抗争調整システムはほとんど機能していない状況が続いており、もはや関東二十日会も有名無実と化したのではないか——と思われても仕方のない事態に陥っていた。

ところが、通夜事件は関東二十日会はいまだ健在なりというところを存分に見せつける結果となった。

関東二十日会は関東ヤクザ組織間の親睦を目的とした団体として昭和四十七年に結成され、加盟団体が毎月二十日に会合を持つことから、この名称がついたという。スタート当初は九団体だったが、現在は六団体である。

各組織の横の連絡調整、抗争発生時の調停機関として、関東ヤクザ界の平和共存に大きく寄与してきた。

「会合の召集をかけるのは、その月の当番組織。何か緊急議題があるときは、六団体の事務局長会議が行なわれることになる。関東二十日会に加盟している組織同士の抗争だったら、大概は上のほうの電話一本で話がつくし、そうでなければ、月当番（当番が抗争当事者であれば、次の当番）が抗争調停の責任者として動く。組織の大小にかかわらず、月当番が仲裁に入った以上、必ずその顔を立てることになっている」

（関係者）

昭和五十八年には、抗争に関する規約として、

《一、（前略）組織の会長宅並びに総本部へ銃刀等を持って攻撃したときはその組員は協議の上破門又は絶縁処分とする。

一、一般民間人又は警察官並びにその抗争とはなんら関係のない人等に向かって危害を加えた場合も破門又は絶縁処分とする》

との項目が設けられ、平成八年には、この規約をさらに推し進める形で、

《一、関東二十日会に加盟している友好団体は、理由の如何を問わず、絶対に拳銃（銃器）を使用しないこと。

一、最初に拳銃（銃器）を使用した場合、及び報復に対しても、理由の如何を問わず当事者の会にて厳重な処分を行なう》

との厳しい内容がつけ加えられている。

「この規約がいま守られているかどうかとなると、甚《はなは》だ疑問で、えっ、そんな規約があったんかいなという感じになるんだが、それこそあってないようなものに変わっているのは事実だ。ヤクザは喧嘩《けんか》に勝ってなんぼの世界。土台、拳銃使用禁止というのは無理な話だろ。あくまで理想だよ。それを規約にうたっているところに意義がある

わけで、画期的なことだった。こうありたいという姿勢を持っているということだからな。関東の良さでもあるんだが、どうも昨今はこの規約とは逆のほうへ向かってるような気がするな」(関東の組関係者)

また、関東二十日会は抗争の調停機関としてばかりでなく、いわゆる業界内の義理がけ——冠婚葬祭についての決めごとも行なっており、公正取引委員会のような機能も持っている。

「義理ごとについては、一月、七月、八月、十二月は原則として休み。同様に二十日会の食事会も休みという決まりになっている」(関係者)

もう一つ、テキヤ版の「関東二十日会」といわれているのが、「関東神農同志会」だ。関東に本拠を置くテキヤ組織が、一家意識を超えて友好と親睦を目的につくられたもので、やはり抗争抑止力として果たす力は甚大なものとなっている。

ただ、対外的な抗争より、内紛や内部抗争が急増している昨今、各組織とも組織運営の要としてこぞって重きを置いているのは、ブロック制である。

「ブロック制の主旨は、内紛を防ぐための親睦、ブロック内部の統制ということで、本部からもブロックのことはすべてブロックでやれという通達があって、われわれもよほどのことがない限り本部にケツを持ちこまない方針を貫いてます。どの組織もいまやブロック主体でね、やれブロック会議だ、義理ごとだ、食事会だ、ゴルフだ——って、ブロックの連中とは頻繁に顔をあわせる機会が多くなった。それでも聞こえてくるのは、内紛やら内部抗争といったことばかり。いったいどうなってることやらわからんね」（広域系三次団体組長）

ブロック制が内紛防止の機能を果たしていないというのでは、何のためのブロック制かわからなくなってこよう。

そもそもブロック制を初めてヤクザ組織に導入したのは、三代目山口組の田岡一雄組長だったといわれる。

昭和三十年代後半、組織の急速な肥大化に伴って、田岡三代目の目が隅々まで届かなくなり、内紛が頻発するようになった。そこで地方別に親睦会を設けて結束を図り、揉《も》めごとも本部にまで持ちこまず、その地域内で解決するように通達。そうした地方別の親睦会が、今日のブロック制の原形とされる。

制度として確立されたのは、渡辺芳則五代目組長体制が発足した二年目の平成二年四月のことで、直系組織の本部事務所がある北海道から九州までを八つのブロックに分けたのである。

すなわち、関東ブロック（東海以北）、中部ブロック（北陸を含む）、大阪北ブロック（京都を含む）、大阪中ブロック、大阪南ブロック（奈良・和歌山を含む）、阪神ブロック、中・四国ブロック、九州ブロックとなっている。

各ブロックには「ブロック長」という名称の地区責任者がおり、それぞれ執行部である最高幹部が就任している。

「田岡三代目が『地方のことは地方で解決せよ』と至上命令を出して、本来の〝中央集権〟から〝地方分権〟への思いきった方針をうちだしたのがブロック制の出発点。戦略的には地域集団防衛体制の構築――つまり、有事の際には、ブロックが運命共同体となって共同戦線を張るということ。また、和解交渉にあたってはブロック長が窓口になって奔走することになる」（消息通）

いまや広域組織のどこもが、ブロック制を確立させている昨今、その主旨とは反対に、内紛が多くなっているというのは皮肉な現象であろう。

2

昨今のヤクザ抗争は内部抗争や内紛が多くなっているといわれる。

内部抗争といっても、広くいえば親戚同士から、同じ代紋同士、あるいは同じ一家・組・会の身内同士、ひどいのになると兄弟分同士でドンパチを展開するケースもあって、果ては親分殺し、兄貴分殺しなどという最悪の事態に発展するケースもある。さながら映画の「仁義なき戦い」の世界だ。

「親戚同士というなら関東は親戚ばっかりですよ。大手同士はほとんどが親戚になってるでしょ。親戚結縁盃を交わしてますよ。だから、去年から起きてる激しい抗争事件の大概は、なんのことはない、親戚同士のドンパチ。内部抗争とはいわないにしろ、本来、親戚同士の喧嘩なんておかしいでしょ。いくら厳しい状況に置かれてるとはいったって、この業界もタガがはずれてきてるということだね」（事情通）

シノギをめぐるトラブルも内輪揉めから殺人にまで発展している例が見られる。

たとえば、六月十九日、仙台市の貸金業者の遺体を仙台港に沈めたとして、宮城県

警暴力団対策課と仙台中央、仙台南の両署が、死体遺棄の疑いで、山口組系幹部二人を逮捕した事件も、
「その貸金業者は無許可でやっており、両容疑者らが取りたて役を引きうけていた。貸金回収をめぐって揉めていたらしく、捜査本部はこうしたトラブルが、今度の事件――貸金業者の殺人・死体遺棄事件の動機につながったと見てます」(取材記者)
とのことで、いわば内紛である。
「五月に起きた都内の葬儀場での拳銃発砲事件も内輪のトラブルと見られてるし、最近はそうした内部抗争や内紛が多いですね。どう考えても身内にしかわからない場所や行動パターンを読まれて、襲われたり、射殺されたりしてる組関係者の事件が続発してますよ」(前出・取材記者)
内部抗争の急増は、いよいよヤクザ界も救いがたい末期的症状をきたしているということを意味するのだろうか。
「いや、内部抗争なんていまに始まったことじゃない。昔から多いよ。映画の『仁義なき戦い』で有名なかつての広島の抗争なんて、内部抗争ばっかりでしょ。戦後は全国的に多かったんだよ。こと身内同士になると、憎しみも倍増して泥沼化してしまう

からなんだね」（関東の組関係者）

そもそも山口組、稲川会、住吉会をはじめ、広域系組織がここ数年の間にこぞって取りいれたブロック制の大きな目的は、そうした内紛を防ぐための親睦、ブロック内部の統制――ということであった。

広域化が進むにつれて、上層部の目が組織の隅々にまで行き届かなくなりがちだったのが、ブロック制を敷くことで責任分担がより明確になり、トラブルや義理ごとの際でも、よりスムーズに対応できるようになったのである。

「ブロック制の一番いいところは、ブロックごとに絶えずコミュニケーションを図ることで親睦も深まり、結束力もより強固なものとなるし、何よりも物事が円滑に推し進められるということですよ。少なくともうちのブロックに関する限り、内紛とは程遠いですよ。食事会だ、ゴルフだ、寄りあいだ、義理だって、何かと会う機会が多いからね」

とは、ブロック制を敷く、ある広域組織の関係者の弁である。

各ブロックでの持ち場をしっかりとりまとめることにより、即応即決、危機管理も万全なものになるという。

たとえば、東京に本部を置いて東日本一帯に拠点を築く住吉会を例にとれば、同組織がブロック制をとりいれたのは平成七年五月のこと。理事長、幹事長、本部長の三役以下、副会長から成る執行部の若手体制への切り替えに伴ってのことだった。

住吉会のブロック制は、北海道ブロック、東北ブロック、東関東ブロック、北関東ブロック、埼玉ブロック、東京中央ブロック、東京東ブロック、東京西ブロック、東京南ブロック、東京北ブロック――の十ブロックから成り、ブロック長はいずれも副会長から選出されている。

その運営システムは、まずブロックごとに選出された十人ほどの執行委員によって毎月一回、ブロック会議が開催される。執行委員となる親分衆は、住吉会にあって副会長補佐、副理事長のポストに就き、ほとんどが各一家の当代や跡目、貸元級だという。

そして執行委員から選ばれた二人の執行委員長が、万事切り盛りしてブロック会議の議長役もつとめ、会議での決定事項をブロック長に報告。ブロック長はこれを受けて、その案件を毎月一回開催される副会長会議に持ちこむことになる。

そこで協議がなされ、その結果はブロック長が各ブロックに持ち帰り、ブロック会議において発表されるシステムという。

「何か事が起きたときの対応はすごいですよ。ブロックの各組織の代行や責任者クラスが陣中見舞いに行くとか、ブロック単位で決まってますので、結束もするし、動きも速い」

「ブロック制は地域ごとの特色も生かせるわけだし、つねに密な連絡をとりあって情報交換をしたり、コミュニケーションを図っていれば、自然に結束も生まれますよ。うちは、うまく機能してると思いますね。おかしな揉めごともないし、きっちりと固まっていますから。いい方向に行ってますよ」

「うちのように中央から離れていると、ともすれば中央との意思の疎通に欠けるきらいがなきにしもあらずで、何か事が起きたときには支障をきたすこともあったわけですよ。それがブロック制で解消したんです。やはり、なんでもかんでも本部の手を煩わせるわけにはいきませんから。ブロックで起きたことはすべてブロックで事にあたって処理し、解決する。もともとそれがブロック制の目的ですからね」

と関係者は、いずれもブロック制の利点を語っている。

このブロックにあって、ブロック会議の設定・招集・進行から、冠婚葬祭を含む諸事万端の連絡・動員・調整、抗争時の和解交渉に至るまで、裏方に徹して切り盛り役をこなし、ブロック最大のネゴシエイターともいうべき存在が執行委員長である。

各一家の当代や跡目、貸元クラスで構成される執行委員から選ばれるわけで、やはりいずれもそれにふさわしい人材がその役を担って、ブロック長を支え、ブロック運営の要役を果たしているようだ。

あるブロックの執行委員長がこういう。

「われわれの仕事なんて、交渉ごとにつきるんだね。ブロックが発足してこのかた、のべつまくなし、交渉や掛けあい、根まわしなどであっちこっち飛びまわってばかりいたような気がしますよ。なにしろ、うちのブロックは広範でね、地域によっては一日で帰ってこれないところもあるんですよ。ともかく、やれ抗争だ、内輪揉めだ、親方が死んで跡目が決まらないだとか、別の大きな組織の切り崩しにあってゴタゴタしてるだとか、そんな問題がわりと頻繁に起きてね、そりゃ忙しかったですよ。もっとも、もちろん私がどうこう決着をつけるとか偉そうなことをいうんじゃなくて、最終的にはブロックの副会長なり、ブロック長に動いてもらわなきゃならないんだけど、そこへ行くための根まわしだとか、最初の話しあいは全部私が動かなきゃならないんでね、まあ、東奔西走《とうほんせいそう》の日々でしたね。お陰でずいぶんやせましたよ」

このブロック執行委員長の裏方としての働きは、やはりブロックでも認められるところで、「わがブロックにこの男あり」と、その交渉力は評価も高いといわれる。

表社会同様、時代閉塞の状況下にあえいでいるヤクザ界。今後はさらに政治力や交渉力が大きく物をいう時代になってきつつあるといえそうだ。

3

「ブロック制ができてこのかた、うちのブロックではわりといろんな問題が絶え間なく起きましたね。そのつど、私は和解交渉のために奔走したかと思えば、次には別の事件で、今度は逆に戦闘指揮官として出張《でば》っていく——という感じでね、できるだけ本部の手を煩わせないというのがブロックの主旨ですからブロック長の手足となって動かなきゃならない場面がいっぱいありました。大変といえば大変だけど、やりがいがあるといえば、こんなやりがいのある仕事もないですよ」

とは、ある広域系組織の某ブロックにおいて、ブロック長の補佐役として一手にブロックの切り盛り役を担当しているA親分の話だ。

まず、ブロック内で死者まで出る抗争事件が起きたのは、ブロック制が発足して間もないころだった。

B組という三次団体が、稼業違いとの間で金銭問題で揉め、その話しあいのため、B組幹部四人が相手事務所に赴《おもむ》くことになった。

リーダー格の者が、

「道具を持っていっちゃいかん」

と申しわたしてあったのだが、二人がひそかに拳銃を懐に呑んでいた。

ところが、相手側はどういうわけかそれを見越して、約二十人ほどが事務所で待ち構えており、B組幹部四人がやってくるなりワッと襲いかかって取り押さえた。挙句に、相手から拳銃を奪いとって弾《はじ》き、一人を射殺してしまったのだ。

これにはA親分たちも、B組とは地域も組も違うとはいえ、同じ代紋で同じブロックに所属する者として、よそごとと放ってはおけなかった。

「どっちがいい、悪いは別にして、これはもうやらなきゃいかん」

と、ただちにブロックが一丸となって報復抗争にうって出ることに決めたのだった。

戦闘指揮官となるのはブロック長の役割であったが、実質的にその役を担ったのはA親分であった。

A親分は、一組四人、十二組四十八人の実動部隊を編成し、相手トップから幹部クラスを狙わせるべく、部隊をあっちこっちに潜伏させた。

そのうえで、ブロック長や大勢のブロック幹部の親分連中、兵隊ともどもB組本部のある地域へと出張っていった。その数、実動部隊とは別におよそ三百人。

B組はそのブロックの端にあたる地域であったから、よそから車で駆けつけるにしてもかなりの時間を要したのだが、ブロックの動きはすばやかった。事件が起きたその夜のうちにはそれだけの人数が現地に結集していたのだった。

相手がたも、そうした動きをすぐに察したのだろう、トップや幹部は事件後、いち早く姿をくらました。

が、A親分の編成した実動部隊は間もなく相手幹部たちの潜伏先のホテル、あるいは関係者の自宅や関連事務所などを次々につきとめ、スタンバイに入っていた。

「よし、やれ」

A親分がゴーサインを出したころ、時計の針も夜中の十二時をまわって、地元の機動隊が約三百人、どっと押し寄せ、ブロック長やA親分、ブロック幹部たちがこもるB組長宅を取り囲んだ。たちまちB組長宅周辺は大変な騒ぎになった。

機動隊は、

「B組組長宅とB組事務所を家宅捜索する。そのうえで、全員がバスに乗ってもらう」

と要求してきたので、A親分は、「冗談じゃない」とB組長宅のまわりにいる幹部や若い衆たちに、

「よし、おまえら、ひと騒ぎしろ」

と命じた。

「おい、こら、いったいオレたちが何をしたっていうんだ。何もしてないだろ」

「オレたちは死んだ仲間の弔問に来てるだけじゃないか。おまえら邪魔する権利はあるのか」

と機動隊にかみついたので、時ならぬ騒動となり、ヤクザ三百人の迫力に、田舎の機動隊員たちはおろおろしている。

その間、A親分はブロック長に、

「ここは絶対バスに乗っちゃダメですよ。やつらに身柄を確保されたらおしまいです。バスに乗ったら、確実に凶器準備集合罪でやられますから」

といい、自ら機動隊の隊長と掛けあうことにした。

A親分は隊長と会い、

「家宅捜索でも何でもしてもらって結構だが、おたくらのバスに乗るのはごめんこうむる。だいたいわれわれはいま解散しようとしてるところじゃないか。それなのに何をこんなに大騒ぎする必要があるのか。われわれは引きあげようとしてるんだ。このまま帰してくれないか。そのほうがおたくたちもすっきりするだろ。その代わり、責任はオレがとるよ。オレが残るから」

ときっぱりいった。機動隊長も話のわからぬ人間ではなく、

「本当に解散してくれるんですか」

との問いに、

「必ず解散します、いますぐに」

と答えるA親分を信用して、身柄を確保することはしなかった。B組長宅、B組事務所を家宅捜索した結果も、出てきたのは木刀一本だけで、大山鳴動して鼠一匹——

ということで終わったのである。

その一方で、A親分が動かした実動部隊は何カ所かの撃ちこみに成功し、相手かたは、その機動力・戦闘力・結束力を嫌というほど見せつけられたのだった。

結局、この抗争収拾は、双方の本部サイドに持ちこまれたが、それはA親分の切り盛りするブロックの面子《メンツ》を充分保ったうえでの手打ちとなったという。

「ブロックになって初っ端《しょっぱな》があの事件で、結局、あれでわれわれのブロックの結束が固まったんだね。いまの時代、極力喧嘩をやっちゃいけない、いったん始まったら何が何でも早急に収めなきゃならないということもあるだろうが、ヤクザやってる以上、引くに引けない喧嘩というのもあるんですよ」

とA親分。交渉といっても、政治的な交渉だけでなく、ヤクザである限り、有無をいわさず、力の交渉を駆使しなければならないときがあるわけである。

ともあれ、A親分、ブロックにおける交渉ごとのエキスパートとして、東奔西走の日々が続いたが、こんな事件もあった――。

同じブロックで、人口八万弱のO市に本拠を置くK一家の四代目が病死したが、跡目もスムーズに決まって、何ら問題ないと思われていた。しかも、他にどこの組織も入っていないＫ一家一本の地域なのだ。

ところが、間もなくして跡目をとった者が射殺された。同じＫ一家の身内の犯行だった。跡目が酒場で飲んでいたところを襲い、拳銃で数発撃ったのである。個人的なトラブルから起こした事件で、跡目はほぼ即死状態、撃った男もただちに警察に出頭した。

そこでＡ親分、事態収拾のためにＯ市に飛んでいった。同じブロックでも、Ａ親分の本拠地からは、車で四、五時間もかかる地域だった。

事件は計画的なことではなく、身内の突発的な犯行であったから、それ以上拡大することなく、すぐに収まったのだが、Ａ親分が驚いたのは、Ｋ一家のまとまりのなさ、混乱ぶりである。

「もうガタガタなんですよ。しっかりした人材が誰も育っていない。ばかりか、人数もほとんどいない。跡目にふさわしい本命がいない状態で、おまけにどうにかそれらしいのが二人ほどいるんだけど、彼らは反目しあって跡目争いしてるような状況だった。まあ、それにしたって、私らが見る限り、どっちも跡目なんてレベルじゃないんですがね」（Ａ親分）

殺された五代目親分の代でナンバー2の代行をしていた男と、ナンバー4の本部長だった者とが激しく対立していたのだ。

A親分がいろいろ調べた結果、古参の代行のほうは人望がなく、若手の本部長のほうはまだ力不足の感が否めなかった。

若い衆の数はどちらも似たようなもので、一家の支持は古い連中が代行を推し、若手がおしなべて本部長派で、若干本部長のほうに分があるという感じだった。順番からいけば代行である。

だが、A親分はどうにもこの代行が気にいらなかった。

関西の広域組織と密な関係にあり、どちらかというと、顔が西のほうを向いているようなのだ。少し前から、ある広域系の直参組長とかなり接近しているという。

「よし、ここはなんとしても本部長に跡目を継いでもらわなきゃならんな」

A親分は本部長擁立を決め、ブロック内の多数派工作にうって出ることにした。

五代目を射殺した男は、代行の元舎弟であったから、Aはまず代行に対し、その責任を追及した。

「舎弟といっても、もう私とはとっくに縁の切れてる男ですよ。カタギになってた男ですから」

「その旨の通知は出してるんですか」

「いえ、そんな通知といったって……」

兄弟分の縁切り状というのは、あまり出ないのが普通だった。

「それじゃ通らないでしょ。ここはブロック長に何らかのケジメを見せるべきではないですか。指をつめろとはいわないけど、親分が殺されて、一家のキレた身内がやったことです、お騒がせしました——だけでは済まない問題ですよ。やはり代行としての責任もあるし、ケジメをつけなきゃならんでしょ」

「わかりました」

代行は自らブロック長に謹慎を申し出て受理されたが、それは代行にとって大きな失点となったのは確かだった。

次にA親分がうった手は、代行のライバルである本部長をブロック長の舎弟にすることだった。

「何、本部長をオレの舎弟にしろって？」

A親分とはあ・うんの呼吸のブロック長は、聞くなりAの意図を読みとって、

「よし、わかった。すぐに盃ごとを進めよう」

と応じていた。

それはある意味で、K一家代行に対する露骨な当てつけであり、

「もうおまえに目はないよ」

といっているのも同然であった。

いくら無神経な連中でも、この盃の意味をわからぬ者はいなかったであろう。

さすがのK一家代行も、己の敗北を認めざるを得なかったわけである。

この段階になると、代行についていく者は誰もいなくなった。まだ代行と行動をともにする者が残っていれば、西の広域系の看板を背負う選択肢もあったのだろうが、もはやそれも叶わなかった。

代行は引退を余儀なくされたのである。

ブロックのネゴシエイター、A親分の働きもあって、一時は潰れる寸前であったK一家も、いまや跡目をとった本部長を中心にしっかりまとまりつつあるという。

二　盃外交という危機管理

1

「盃外交」なる言葉を初めて聞いたのは、確か昭和四十八年公開の東映映画「仁義なき戦い・代理戦争」のときだったように覚えている。いや、聞いたというより、ポスターで見たのである。

念のため確認してみると、その通りで、同作品のポスターには、抜き身を手に、背中一面の鯉の刺青をさらした菅原文太がどアップで載っており、《盃〈外交〉が生んだ波紋の輪が、

いま一人の男〈ヤクザ〉によって広島を赤く塗りつぶす——》

との惹句《コピー》があった。また、同作品の別のポスターには、

《〈盃〉は騙し合いの道具ではなかった筈だ》

との惹句も躍っていた。

つまり、あの映画では、ヤクザ社会で最も重要な意味を持つ「盃」が、「盃外交」とか「騙し合いの道具」といったものとして精神性を剝奪され、政治的手段として描かれていたのだった。

そういえば、あの「仁義なき戦い」シリーズは、暴力や殺戮《さつりく》シーンも多かったが、それに次いで、大の男たちが顔を突きあわせての話しあい、テーブルを叩きあっての掛けあいやら、やたら「交渉」の場面が多かったのも印象的だった。

そういう意味では、「盃外交」とは、ヤクザ社会における「交渉」の最たる形であろうか。

とりわけ兄弟盃には、いわゆる攻守同盟、任俠安保的な要素が濃い場合も多分にある。あるいは広域組織のトップが、地方の独立組織の長と親子盃を交わすことは、ある意味で無血進攻の成立といえなくもない。

この「盃」で、かつて私が驚かされたのは、当時、〝テキヤ王国〟といわれた北海道・東北のテキヤ社会では、二十人、三十人もの兄弟分を持っている親分がざらにいたことだった。

兄弟分といえば、親の血を引く兄弟よりも固い契りの義兄弟——と歌にもあるように、生まれも育ちも別々だけど死ぬときは一緒と、肩を並べて死地に赴く任俠映画を数多く観ていただけに、

〈そんなに兄弟分がいっぱいいたんでは、命がいくつあっても足りないだろうなあ〉

といらぬ心配をしたものだった。

全国の高市《タカマチ》を歩いて商売《バイ》にいそしむというテキヤのシノギの形態とも関係することなのか、大勢の兄弟分を持つということが、テキヤ独自のスタイルであり、ステータスともなっているような感があった。

「お友だちは五本の指」

という言葉もあるように、ことさら血縁意識が強いのがテキヤ社会である。

だが、それにしても、二十人、三十人もの兄弟分全員と本当に男と男が惚れあって盃を交わしたものなのかとなると、甚だ疑問で、どうしても無理があろう。やはり数

多いなかには、

「親分や叔父貴の取り持ちがあって、相手がどんな人間なのか、気心も何も知らないけど口約束で兄弟分の縁を持った。ほとんど会ったこともないよ」

というケースもあって、名ばかりの兄弟分が入っているのも事実のようだった。

兄弟分のためならともに命を賭け、ともに死ぬ——という任侠映画をさんざん観てきた私にとって、不思議だったのは、

「あんなもん、兄弟分だなんていってるけど、本来はオレの舎弟クラスと同格の男。けど、どうしてもなってくれって間に入ってくれる義理ある人がいたんで、しようがねえから兄弟分になってやったんだ。あんなもん、ろくなもんじゃねえ」

と平気で兄弟分の悪口をいう親分がいたことだった。

もっと驚いたのは、五分の兄弟分同士でありながら年中ぶつかっては抗争事件ばかり繰り返している兄弟分の存在があったことだった。

本当に意気投合して魂と魂とが触れあって盃を交わした兄弟分であるなら、そんなことは到底考えにくく、盃外交の破綻《はたん》といわれても仕方あるまい。

逆に、長い間そういう土壌で稼業を張っていながら、頑なに兄弟分というものを持

とうとしない、対照的な親分も存在した。

「兄貴だとかタヌキだとか、兄弟分だなんて金輪際持たないというのが、私の若い時分からの一貫した主義ですよ。私の一家の先輩なんか、もうそれこそゴマンと兄貴分だ、兄弟分だというのを持ってるんだけどね、私は絶対持たない。どんなにそういう話を持ちこまれても、お断わりしてきました。そりゃ、なかには私よりずっと格上の相手と五分でという話もあったよ。いわゆる引きあげの盃、出世盃というヤツだけど、それもお断わりしました。兄弟分の盃は簡単に持つべきじゃないというのが私の考えです」

という、この組長、兄弟分を持ったのはあとにも先にもたった一回。まだ渡世に入る前の愚連隊《ぐれんたい》時代、殴りあいの喧嘩をして意気投合した相手と交わした一回きりだった。

そのたった一人の兄弟分も、数年前に病死してしまったので、いまは一人も無し。むろん兄貴分も持たず、親分という人がただ一人いるだけである。

「そりゃ、兄貴分を持ったり、兄弟分をいっぱい持ったりするほうが、楽なことは楽でしょ。何かあったら、はたしてその兄貴分や兄弟分たちが守ってくれるかどうかとなると、疑問だけど、喧嘩せずに済むだろうからね。そりゃ、いっぱい縁を持ってたほうが、身の安全保障につながるだろうから。けど、ヤクザやってるんだったら、それじゃ面白くないですよ。お陰で私はどこにも遠慮することなく物をいえるし、どこからも制約を受けることもなければ、どこにも借りはない。どちらさんにも気兼ねする必要もないわけです」

かといって、この親分、兄弟分は持たなくても人脈は豊富で、つきあいも全国的に広がっており、大概の組織とはパイプがあるという。誰とも盃は交わしていなくても、充分それを補ってあまりあるだけの交流があるわけである。

「兄弟分を多く持つことは、若い衆にも迷惑をかけることになるんですよ。若い者たちの伸びる芽をつんでしまうことにもなりかねない。なぜかというと、私に兄弟分や兄貴分がいっぱいいたら、若い衆からすれば、まわりが叔父貴分ばっかりになってしまうでしょ。どこへ行っても遠慮しなきゃならなくなる。ツッパるところも引いてしまわなきゃならない。それじゃかわいそうですよ」

と同時に、若い時分、まだ駆けだしのころに誰彼となく兄弟分の縁を持つことは、ときとして悲劇をもたらすことがある。

入門した時期もだいたい同じで、実力も伯仲していてこれから大いに伸びていく者同士として、世間からはいいライバルと目されている二人の男がいたとする。代紋が違っても二人とも気があったから、死ぬまで仲良くやろうと誓って、兄弟分の縁を結んだ。

ところが、歳月が流れて、片方の男は、周囲の期待に応えてグングン伸びていき、一家の跡目をとるというほどの実力者となったが、もう一人が伸び悩んだ。

途中でクスリに溺れたりしてくすぶっているうちに、気がついたときにはライバルとはだいぶ水をあけられていた。兄弟分とは恥ずかしくて口にも出せないようなていたらくだった。

「えっ、まさかあの男が、いまや飛ぶ鳥を落とす勢いの○○親分と兄弟分だって⁉」

とまわりも見るので、ひがみ根性が先に立ち、ますます後れをとるようになった。

彼にとって、その実力者と兄弟分という関係が重荷になって、悪い方、悪い方へと作用してしまっているわけだった。

あまり早いうちから兄弟分など持たないほうがいいということの教訓でもあろうか。

「いや、そうとばかりはいえないでしょ」

とは、五十代の都内の組長。

「私にも二十代のわけのわからない時代に縁を結んだ兄弟分がいるけど、そいつとは互いに切磋琢磨してやってきて、いまだにいい兄弟分関係でいるからね。そいつがいたお陰でオレもこの世界で取り残されずに来れたと思ってるよ。そいつの存在が励みになったんだね。まあ、確かにこういうのは珍しいかも知れないけどな」

盃外交ではない、花も実もある兄弟盃の一例であろう。

2

盃外交といえば、戦後ヤクザ史をひもとくと、きわめて政治的な色あいの濃い兄弟盃というのもいくつか見られる。

たとえば、その典型としていまも語り草となっている、東西の巨大組織の盟主同士のビッグな兄弟盃が、昭和三十九年五月にとり交わされている。

東京に本部を置く松葉会藤田卯一郎会長と、神戸に本部を置く二代目本多会平田勝市会長との五分兄弟盃である。

なにしろ前年五月、警察庁によって、山口組、柳川組、錦政会とともに「広域五団体」に指定された東西の大組織のトップ同士の結縁とあって、業界に衝撃的な余波をもたらした。

この盃は、前年九月、北陸の石川県山中温泉において、松葉会と二代目本多会との間で展開された抗争事件、いわゆる〝山中温泉事件〟の延長線上に生まれたものといってよかった。

事件が起きたのは、昭和三十八年九月五日午前十二時五十分ごろのこと。山中温泉のキャバレー「リンデン」で、本多会山中支部組員四人が酒を飲んでいた。そこへ松葉会金沢支部の十人が入ってきて、因縁をつけたうえ、一人の頭部をビール瓶で殴りつけた。これに怒った本多会山中支部組員がライフル銃を持ちだし、相手の頭部を撃って即死させた。

その報復はただちに行なわれた。松葉会金沢支部組員ら六人は、事務所に向かう本多会山中支部長に銃弾を浴びせて即死させ、本多会組員の一人を負傷させたのだった。

当時、山中温泉や片山津温泉に代表されるような観光地として名高い北陸地方には、本多会や松葉会のほかにも、錦政会、極東、中島会、山口組などが進出し、拠点を築いていた。山中温泉には早くから本多会が支部を開設し、温泉地の興行を中心に地盤を固めていたところへ、松葉会も映画興行を持って進出したのである。

つまり、抗争の原因は興行をめぐる縄張り争いによるもので、双方に死者が出た以上、簡単に事が収まるとは思えなかった。実際、松葉会、本多会とも二百人前後の応援部隊が駆けつけ、一触即発の緊張感がただよった。

だが、この抗争はこれ以上拡大することなく、急転直下、和解を見ている。ばかりか、この抗争をきっかけにして、松葉会藤田卯一郎会長と本多会平田勝市会長との五分兄弟盃が生まれるという、劇的な展開とさえなったのだ。

この結縁式並びに結縁披露宴は、昭和三十九年五月二十五日、神戸市須磨区の料亭「寿楼」で行なわれている。山中温泉事件の約八カ月後のことである。

もとより両者の結縁は、名実ともに金筋として知られる親分同士、抗争終結後、互いに胸襟《きょうきん》を開いてつきあううちに、男として惚れあい、意気投合したということも紛れもない事実であっただろう。

年齢も、明治三十九年生まれの藤田卯一郎に対し、平田勝市は明治四十年生まれと一歳違いであるばかりか、その経歴も性格や気質的にも似ているところが多々あった。

まず四千人を超す構成員を擁する本多会の二代目を継承したばかりだった平田勝市は、弱冠二十四歳にして若頭に抜擢されるほど、その器量や力量は若い時分から抜きん出ていたという。

つまり、戦前戦後を通して戦闘指揮官として采配を振るってきたわけで、自身のひきいる平田会は本多会のなかでも最大最強の武闘軍団との呼び声も高かった。そのため、抗争の連続で、四国が片づいたかと思うと、山陰、山陽、北陸といった具合いで、そのたびに百、二百と兵隊を送りこんでいたから、平田勝市は自宅を売り払ってまで抗争資金につぎこんだという。

一方の松葉会の藤田卯一郎も、松葉会の前身である関根組にあって、「藤田あり」といわれた存在。戦後の全盛時には、配下二万人を呼号し、「関根組にあらずんばヤクザにあらず」といわれるほど驚異的に勢力を拡大した。

その時代に〝軍治〟の異名をとって、関根組を陣頭指揮していたのが藤田卯一郎である。

昭和二十四年、団体等規制令の適用を受け、関根組は解散を余儀なくされたが、藤田は昭和二十八年、組織の再建に乗りだし、松葉会を再建するに至っている。

また、早くから政治に志があり、右翼活動に熱心だったことも両者には共通していた。

藤田が他組織に先駆けて松葉会を政治結社として届け出たのち、積極的に右翼活動を展開していったのはよく知られている。

一方の平田の活動歴も古く、昭和十二年に結成した「特設正義隊」に始まるといわれる。その後、二十七年には「アジア青年平和会」に発展させると、その一連の活動は、当時の米国のダレス国務長官から感謝の書簡を受けたほどである。

気質的にも一徹で、実践行動力のあるところなど似た部分が見受けられ、両者が手を握りあい、兄弟盃を交わしても何ら不思議はなかったわけである。

だが、やはりこの兄弟盃はそれ以上に、当時の時代背景を抜きにしては語れないであろう。

この盃のきっかけとなった〝山中温泉事件〟が起きたのは前年の昭和三十八年のことだが、この年はヤクザ史にとって特筆に値する。

日本のヤクザ人口が戦前戦後を通して史上最高の規模の五千百七団体、十八万四千九十一人に達した年なのだ。これは四千百九十二団体、九万二千八百六十人だった五年前、昭和三十三年のおよそ倍の組員数にふくれあがっている。

その理由は、簡単にいうと、六〇年安保以後の政府の高度経済成長政策によって、世の中が俄然景気がよくなり、ヤクザもその恩恵をこうむることになったからに他ならない。表社会の景気の動向はもろにウラ社会に反映されるというのは、昔もいまも変わらぬ真理。表の景気のよさが、世の隙間産業といわれるヤクザ社会にもさまざまな新しい利権をもたらしたのだ。

こうしたヤクザ人口の膨張は、ヤクザ社会に広域化・再編の波を呼びおこし、必然的に広域組織と地方の中小組織との衝突を招き、また大組織相互の対立抗争を引き起こすことになる。警察庁の調査では昭和三十三年の七十件に対し、三十八年には百二十三件の抗争事件を数えており、その半分以上は二つ以上の都道府県にまたがる広域組織が介入している事犯となっている。

そしてその中心的担い手となったのが、神戸の三代目山口組であり、西日本で唯一それに対して抵抗できる組織が本多会であった。

昭和三十年代半ばから開始された山口組の怒濤の全国進攻の過程で、山口組と本多会はそれまで西日本の各地で抗争事件を起こしていたものの、本拠地の神戸で直接ぶつかることはなかった。それゆえ〝代理戦争〟と呼ばれたわけだが、西日本においては、破竹の快進撃を続ける山口組に対して地元組織は、軍門にくだるか、もう一方の雄である本多会系列に加わることで組織維持をはかるところが少なくなかった。

とりわけ十四件の抗争事件を数え、熾烈な代理戦争といわれた広島の打越会（山口組系）と山本組（本多会系）の「広島戦争・第二次抗争」が始まったのも、この年、昭和三十八年四月のことであった。

この抗争では拳銃による銃撃戦だけでなく、ダイナマイトを使った爆破事件まで発生し、死者九人、重軽傷者十三人を出すという凄絶なものとなった。

平田勝市が、初代本多仁介の引退に伴って二代目本多会を継承したのは、三十八年七月で、広島代理戦争のさなかである。神戸のキャバレー「新世紀」で開催された披露宴には、大野伴睦ら政治家が多数参列して話題を呼んだものだ。

平田勝市会長は二代目を継承するや、ただちに強硬路線をうちだした。それは何より山口組に対して向けられたものであった。

翌昭和三十九年一月に開催された理事会では、種々取り決めた決定のなかに、
一、本多会は今日まで山口組に何回となく襲撃されたにもかかわらず、やられっ放

してあった。今後は話しあいでなく実力をもって解決していく。
一、今まで事件が発生すればある程度警察に情報を流していたが、今後はそれまでに実力をもって解決する。「けんか」に勝てばあとはどのようにでもできる。
——といった項目もあったという。相手はあくまで山口組だけという感がありありで、激しい敵意をむきだしにしている。

だから、〝山中温泉事件〟が勃発したのは二代目本多会を継承して約一カ月後のことであったが、松葉会に対して強硬路線はひっこめられ、前述のように急転直下の和解となり、その八カ月後にはトップ同士の兄弟盃とさえなっているのだ。

一方、松葉会においても、西に東にあくなき進攻を繰り広げ、東京さえうかがいかねない動きを見せる山口組に対しては、やはり他の関東勢同様、内心穏やかではなかったであろう。とくに前年二月、児玉誉士夫の取り持ちで、三代目山口組の田岡一雄組長を兄、東声会の町井久之会長を弟とする結縁が行なわれたことに対して、なおさら警戒心を募らせていた。関東の各組織は、これを山口組の関東進出の足がかりの構築ととらえていたからだ。

そういう意味で、この東西の大組織のトップ同士の結縁には、ひとつには山口組を牽制するという、双方の思惑が一致した政治的な意図が隠されていたといっていいであろう。

その意図は、田岡三代目と町井久之会長の縁組みが行なわれた会場と同じ神戸市須磨区の料亭「寿楼」において執り行なわれようとしていた結縁式で、なおさらはっきりする。

田岡三代目及び山口組関係者をいっさい招かずに儀式を敢行するというのだから、それは山口組に対する露骨な無視、敵意の表明といってよかった。全国の親分を招こうとしているのに肝心の地元の親分を無視するなど、ヤクザ社会の慣例ではほとんどあり得ぬ事態であった。

しかも、兄弟盃のケースとしては異例ともいえる襲名披露ばりの芳名録まで作成、結縁に対する両者の並々ならぬ入れこみようがうかがえるが、当然ながらそこに三代目山口組田岡一雄組長、及び山口組関係者の名はいっさい見あたらなかった。見届人として名を連ねてもらうことさえ拒否したのだ。

いくら反目していたとはいえ、こうした際に名前を載せるのは、これまたヤクザ社会の慣例であり、まして初代本多会の本多仁介会長と三代目山口組田岡一雄組長とは兄弟分の間柄であった。しかも、これ見よがしに、山口組のお膝元である神戸で結縁式をやるというのだから、山口組を大いに刺激せずにはおかなかった。

山口組に対する両組織の公然たる挑戦と受けとったとしても不思議はない。

結縁式を控え、神戸市内は緊張に包まれた。だが、住吉会顧問の阿部重作と全国港湾荷役振興協会の藤木幸太郎会長（田岡三代目は同副会長をつとめた）が間に入り、田岡三代目が顔を出さないのだから、関東の親分衆も出席しないということで、結縁式は挙行されたのである。

半年後、この兄弟分の輪はさらに大きく広がることになる。

同年十一月、この二人に、京都の中島連合会図越利一会長、大阪の藤原会藤原秋夫会長、大阪の直嶋義友会山田祐作会長、名古屋の稲葉地一家上篠義夫総裁、静岡の中泉一家播磨福作総長の五人を加え、〝七人兄弟盃〟に発展するのだ。この七人の親分は、丘庫県有馬温泉「池の坊月光園」に集まって和合式を行ない、互いに五分の盃を交わしたのである。

いずれも名門の系譜を受け継ぐ筋金入りの大物親分衆であり、全国的な規模であるところから、兵庫県警は「反山口組連合」の結成と見たというが、その顔ぶれを見れば、山口組を意識しての結縁であるのは明らかであった。もっというなら、この〝七人兄弟盃〟の意義が、先の二代目本多会平田勝市会長と松葉会藤田卯一郎会長のそれをより発展させた形での〝山口組の牽制〟にあったことは、紛れもない事実であろう。

これによって、東京から東海、中部、関西、あるいはそれに加えて初代本多会当時からの盟友団体である広島の山村組、下関の合田一家、北九州の工藤組を加えた広大な地域にわたる〝反山口組攻守同盟〟が誕生したといっていいかも知れない。

だが、この「大連合」は山口組に対する攻守同盟としての機能を果たすことなく潰《つい》えてしまう。というのも、同年二月から開始されていた、いわゆる〝第一次頂上作戦〟によって有力組織の解散が相次ぎ、警察庁による苛烈な取締まりの前に、それどころではなかったからである。

3

兄弟盃を交わすことによって、双方の面子が保たれたままで実質上の手打ちとなった、まさに盃外交といえば、これ以上典型的なものはないというケースも過去にはあった。

昭和四十年代から五十年代にかけて、血で血を洗う激烈な抗争となった〝沖縄抗争〟がそれである。

昭和四十五年十二月、長い間、那覇派だ、山原派だと分かれて抗争を繰り返してきた沖縄ヤクザが一本化して沖縄連合旭琉会（初代旭琉会）を結成した。本土復帰二年前のことだった。

「本土復帰が決まり、当然予測される本土広域組織の進攻に対して、〝沖縄防衛〟が焦眉《しょうび》の急となって実現した大同団結だった」（事情通）

だが、この沖縄ヤクザの一本化も数年しか続かなかった。四十九年九月、元山原派の上原組が待遇をめぐる不満から脱退。十月二十四日には旭琉会の新城喜文理事長が射殺され、以後、旭琉会と上原組との間で果てしなき抗争が続いていく。それは凄惨極まりなかった。

五十年二月九日の事件はとくにむごいものだった。上原組組員三人が旭琉会幹部ら七人に北部の国頭村楚州の山中に拉致された。自分たちで墓穴を掘らされたうえ、五丁の拳銃で弾が尽きるまで撃たれた。たまらず上原組組員三人が穴の中に倒れると、その上に土をかけられた。

それでもなお一人は生きていて、必死に土をはねのけ、よろよろ這いだしたため、今度は心臓部をドスでメッタ突きにされた。さらにこめかみにとどめの一発まで撃ちこまれて、穴に投げいれられたという。

五十年十月十六日には、旭琉会のもう一人の理事長、又吉世喜が上原組によって射殺される。

さらに五十一年十二月、上原組が山口組大平組傘下となり、また東亜友愛事業組合沖縄支部から分派した琉真会が五十二年一月、大平組系古川組（当時、現五代目山口組直系）の傘下組織となったから、沖縄ヤクザ戦争は旭琉会vs山口組という様相を呈してきた。

すでに双方から旭琉会の二人の理事長を含む六人の死者が出ていたが、昭和五十二年の両者の激突もすさまじかった。一月二十五日に起こったリンチ事件を皮切りに、同年九月十二日までの約八カ月間に二十三件の抗争事件を数えた。

八月十日、旭琉会組員が琉真会アジトを襲った際、警戒中の機動隊員が襲撃の組員たちを制止しようとすると、組員の一人が、

「イッターカラ　サチニ　クルサイヤーッ（おまえから先に殺してやる）」

とウチナーグチ（沖縄言葉）で叫ぶなり、十六連発のカービン銃を発射。機動隊員が左腕を撃たれて倒れたそのスキに、四人は琉真会のアジトのあるビルの三階に駆けあがり、ドアを蹴破って手榴弾を一個投げこみ、爆発させた。四人はなおも手にしたカービン銃、コルト45口径短銃などをアジトの室内に向けて乱射。さらに応援に駆けつけた警官たちと銃撃戦を繰り広げた末に逃走したのである。

時の県警本部長が、

「本日からは暴力団が発砲してきたら、射殺することもやむを得ない」

と異例の声明を出すほどであった。

沖縄県警は面子をかけて取締まり態勢を敷き、上原組は上原秀吉ら幹部五人が逮捕、二人が指名手配され、組長の上原勇吉も指名手配されて長期逃亡し（後年、時効直前に逮捕）、琉真会組長の仲本政弘が逮捕され、幹部は全員指名手配された。一方の旭琉会も、多和田真山会長ら最高幹部が逮捕され、双方の指揮官不在のままで「抗争状態の消滅」と、県警は判断した。

そのころには、旭琉会のほうが圧倒的優位に立っており、もともと少数派の上原組、琉真会は潰滅寸前にまで追いこまれていた。

山口組においても、この沖縄抗争は、本家幹部会でも議題にのぼり、本家の面子も立つ形での抗争終結を模索していた。それが冒頭の兄弟盃となったのである。

もともと戦前の沖縄にはヤクザは存在しなかった。その源流となったのは、戦後の「戦果アギャー」である。戦果をあげるの意で、米軍基地収容所内の倉庫荒らしを行なうギャングたちが組織化されたものだった。

任俠の系譜もなく、盃も手打ちの習慣もない沖縄ヤクザの抗争は、いったん火を噴いたらどちらかが解散、潰滅するまでやりあうエンドレスの激しいものとなるのがつねだった。

そこへ初めて〝盃〟を持ちこんだのが山口組であったが、今度は〝手打ち〟という概念をもたらすことになった。

昭和五十六年七月、三代目山口組田岡一雄組長を後見人として、二代目旭琉会多和田真山会長、三代目山口組二代目吉川組野上哲男組長、二代目澄田組二代目藤井組橋本實組長という三人の五分兄弟盃がとり交わされたのである。

この盃が、沖縄抗争の実質的な手打ちを意味することは誰の目にも明らかだった。

山口組、旭琉会双方ともに面子を潰すことなく抗争を終結させる方法を選んだ結果であった。

兄弟盃が実質の手打ちの儀に相当するという、まさしく盃外交の一典型となり、同時に沖縄ヤクザ界が日本任侠界の一員に迎えられた日といってもよいであろう。

三　仲裁人という名のネゴシエイター

ヤクザの交渉ごとで最も難しいとされるのは、抗争当事者の間に入って行なわれる和解交渉――〝仲裁〟といわれる。

つまり、〝時の氏神〟といわれる仲裁人こそは、ネゴシエイターのなかのネゴシエイターであり、圧倒的な交渉力なくしてできる仕事ではない。

その至難さは想像を絶するものがあるようで、一歩間違えれば、喧嘩を引き受ける事態や命を狙われることにもなりかねない。

たとえば、昭和五十八年から愛知県下で三年越しに繰り広げられた〝中京戦争〟では、仲裁人となった〝東海のドン〟と称される大物親分が、その折衝の道中、しかも翌日に控えた手打ち式の手筈を整えての帰路、殺されるという事件が起きている。片方にやや厳しい処遇となった手打ちに対して、一方からの不満が爆発してのものといわれる。

仲裁といっても、決して自分を安全圏に置いたうえでできるものではない。自らも体を張って初めてできるのが仲裁というものである。

明治、大正、昭和を通して俠名を馳せ、大日本国粋会の理事長をつとめた梅津勘兵衛も、名仲裁人と謳われた親分だが、左手の小指と薬指を第二関節まで落としているのは、やはり博徒間の喧嘩の仲裁に入ってのものだった。他人のために体を張った結果で、梅津がまとめた喧嘩の仲裁は数えきれないほどあるといわれる。

仲裁人は、喧嘩の当事者とは中立的立場にあり、しかも双方を納得させるだけの器量と貫禄を備えた人物でなければならないわけである。

やはり名仲裁人と謳われた親分といえば、京都に〝この親分あり〟といわれた会津小鉄の図越利一総裁。

あるとき、総裁は他組織の者から「総裁、お力添えを」と仲裁の依頼を受けた。それは大組織同士の抗争で、発生以来二週間にもなるのに、依然として解決の糸口もつかめないというものだった。

死者の出ているほうが、

「誰が間に入っても応じない」

と強硬な姿勢を見せているためだった。

だが、総裁が仲裁役を引き受け、その夜のうちに交渉のため駆けつけると、相手の頭領は、

「総裁が来てくれはったんでっか。金《きん》の馬車持っていっても来てくれはらへん人が来てくれたんでは、もう何もいうことおへんですわ。すべて、総裁にお任せしますさかい……」

と応えたという。「金の馬車」とは、仲裁人・図越利一総裁の値うちを表わしてあまりあろう。

図越総裁には若い時分から名仲裁人たりうる資質があったようで、こんな話も残っている。

まだ親分中島源之介ひきいる中島会の若頭をつとめ、図越組組長だったときのことである。

京都の歓楽街・新京極で戦前から覇を競うふたつのテキヤ組織があり、ささいなこ

とからぶつかったことがあった。

発端は、A一家が面倒をみている京極のバーで、B会にゆかりの者二人が酔って大暴れしたことから始まった。

一人はB会二代目の舎弟の実弟で、もう一人がその友人のカタギの遊び人だった。たまたまその遊び人が、新京極の大きな寄席の小屋主である女将と縁者だったこともあって、女将が後始末に動いた。

店の修理代を多めに包み、A一家二代目の家へ詫びに出かけたのだ。

そのとき、女将にお伴したのが、B会の客分になっているKという相撲とりあがりの極道だった。その寄席はB会とは縁も深かったし、客人のKも女将には何かと世話になっていた。

だが、二人して詫びに出かけたところ、A一家はきわめて冷淡な態度しか示さなかった。

怒ったKが、

「姐さん、帰りましょ。こんなとこ、いつまでおってもしようがないでっしゃろ」

と捨てゼリフを残して引きあげたから、A一家の若い衆たちがいっせいにいきりたった。

二人のあとを追いかけ、Kを襲撃し、ドスや木刀を見舞って、身体を数カ所刺し、頭を直撃した。Kは一命をとりとめたものの、重傷を負い、病院にかつぎこまれた。

当然ながら、この仕うちにB会は憤り、報復すべく喧嘩仕度を整えた。もはやA一家とB会の全面戦争は免れなかった。

だが、このとき、仲裁人に立ったのは、図越組若頭の野村庄之助だった。

図越組の看板と野村の器量もあって、とんとん拍子にまとまり、A一家がB会に見舞金を出すことで手打ちとなったのである。

これで何事もなく収まるものと思われたが、事件はそれから四カ月後に起きた。

傷のいえたKが、

〈A一家の二代目を殺したる！〉

の一念に燃え、報復の挙に出たのである。

二代目が朝の習慣である銭湯から自宅に帰ったところを襲い、その腹をドスで突き刺したのだ。A一家二代目はほとんど即死状態だった。

当然ながら親分を殺されたA一家は、怒りに燃えたが、それ以上に、

「いったんうちの若頭《かしら》が口を利いたものを、殺《いわ》しめるとはもってのほかや。Bの隠居の首とったるさかい！」

と怒りの声をあげたのは、図越利一だった。Bの隠居というのはB会初代のことで、B会の初代もA一家初代同様、健在であった。

ところが、そのB会の初代が、図越の親分である中島源之介に仲裁を頼んできた。

中島は引きうけ、さっそく図越ら若い衆を連れてA一家初代のもとへ交渉に出かけた。

「そりゃ、できません」

A一家初代は、仲裁の話はいっさい受けつけなかった。天下の中島源之介の話といえど、頑として聞こうとしなかったのだ。

「じゃあ、どうしたらええねん。どうしたらおまえさんがワシらに任せるという気になるねん。それをいうたってや」

中島が仲裁人らしい冷静さで迫ると、A一家初代は、

「まずB会二代目が小指詰めて詫び状を書き、仏に謝り、そのうえで京極でいっさい商売せん、と。カタギになってくれたらええですわ。それくらいしてもらわなんだら、

ワシら到底辛抱できまへん」

と、B会に対して、これ以上ない厳しい手打ちの条件を出してきた。

これには中島も言葉を失い、お伴でついてきた舎弟の一人が、相手に、

「それやったら、誰が仲裁に入っても同じや。うちの親分を舐めたはりまんのか⁉」

と声を荒らげるのを制すと、ついには仲裁から手を引くことをA一家初代に告げた。

「考えたら、こんな難しい問題に首つっこんだワシらも悪かった。ようわかった。ワシら、もう仲裁あがるさかい、好きにしたってや」

と立ちあがり、引きあげようとした。

そのとき、

「親分、ちょっと待っとくれやす」

と、中島を止めたのが図越だった。

図越はA一家初代に対して、

「そりゃ、あんたのいわはる通りや。けど、おかしいやないでっか。うちの親分が口きいてくれてんのに、そんな条件出すっちゅうのは。誰かてそんな条件つけられたら、もう勝手にせい、いいますがな。他にもう少し話のしようがあるんと違《ちゃ》いまっか」

とズバッといった。

「図越さん、これだけはなあ……」

A一家初代も意地を貫く肚《はら》だった。

「そしたら、うちの親分がB会《むこう》へ行って、むこうが、その条件全部出

ら、あんさん、どないするんでっか？」

「――もらいますがな」

「そんな厚かましいことあらへんやないか！」

「…………」

「ええか、性根《しょうね》を据えて聞いたってや。ワシの肚はあんたと一緒や。この前、あんたんとことB会が揉めたときは、うちの庄之助が仲裁人になって仲直りさせたんでっせ。それをこのザマや。ワシかていい加減腹がたちますわ。顔を潰されたも同然やさかいな。せやけど、そんな事情を皆知ってはるうちの親分が、私情を捨て、心を鬼にして仲裁人になってくれはるいうんでっせ。ここで辛抱するんも、男の道と違《ちゃ》いますやろか」

「…………」

「その条件、うちの親分がもろうてきたら、あんた、それをそっくり親分に返したっ

てくれはらしまへんか」

図越の言葉に、相手は驚いて目を剝き、中島源之介も、図越の思案がすぐには推し量れぬ様子だった。

図越が、今度は中島のほうを向いて、続けた。

「その代わり、むこうがそんな条件出せませんいうたら、親分、そんときこそ、あがったっておくんなはれ。そんなら、ワシも行ける立場になれますさかい。A一家より早《はよ》うに、むこうの者の首、とって見せまっさ」

図越の話に、中島も合点《がてん》がいったとばかりにニッコリとうなずいた。

「よし、わかった。ようわかった。われの心意気、ようわかったで」

もし、A一家初代の出した条件を、B会が呑まなければ、A一家より早く

手からケジメをとるといっているのだ。確かにB会が図越に対して手

な真似をしたわけだから、そうされても仕方なかった。

その代わり、B会が大人の度量を見せて、その条件をす
むといったら、A一家も中島の顔を立ててそれを全部中島に返してくれ
と図越は主張しているのだ。

それはどちらにしてもかなり難しい条件には違いなかった。

まずB会。いくら全面的に非があるとしても、その条件——当代が小指詰めて詫び状を書いてカタギになり、そのうえで一家は京極でいっさい商売をしないというのは、いくらなんでも厳しすぎる落とし前だった。

また、A一家としても、仮にB会がそれを全部呑んだとしても、いったん受けとったうえでそれを全部仲裁人の中島に返せというのでは、仏が浮かばれないだろうとの思いも強かった。苦しいところだった。

中島はA一家初代の前にすわり直すと、

「ともかくワシがB会に行って、あんたのいう条件をくれるか、くれへんか、掛けおてくるさかい……話はそれからや。どうでっか、これでよろしか」

と迫った。これに対してA一家初代は、

「へい、お任せします。よろしゅうお願いいたします」

と答えた。図越の心意気に応え、中島の顔を立てる道を選ぶ決断をしたのだった。

その後の展開は、図越の期待通りに事が運んだ。

まず、これ以上はない厳しい条件を突きつけられたB会は、苦渋の決断を見せてその条件を呑んだ。

一方、その落とし前を受けとったA一家も泣く泣くそれを全部中島に返した。結果、B会二代目は小指も詰めず、詫び状も書かず、京極での商売もいままで通りということになったのである。

そのうえで、図越は親分の中島に、

「かといって、何にもなしというのでは、A一家も納得しやはりませんやろし、仁義の道にもはずれとります。死んだ二代目の姐さんと隠居に、心から済まなんだという て、B会の二代目に頭さげてもらいましょ」

と進言し、A一家の先代にも、

「これでどうでっか？」

と迫ると、先代も、

「それで結構ですわ」

と答え、万事収まったのであった。

若き日の図越総裁のエピソードだが、後年、よその親分をして、

「金の馬車持っていっても来てくれはらへん人が来てくれた」

といわしめた名仲裁人の素質は早くから備わっていたということであろう。

この作品は文庫オリジナルです。原稿枚数387枚（400字詰め）。

GENTOSHA OUTLAW BUNKO

ヤクザに学《まな》ぶ交渉術《こうしょうじゅつ》

山平《やまだいら》重樹《しげき》

平成14年12月25日　初版発行
平成15年3月6日　8版発行

発行者――見城徹

発行所――株式会社幻冬舎
〒151-0051東京都渋谷区千駄ヶ谷4-9-7
電話　03(5411)6222(営業)
　　　03(5411)6211(編集)
振替00120-8-767643

印刷・製本―株式会社 光邦

装丁者――高橋雅之

万一、落丁乱丁のある場合は送料当社負担でお取替致します。小社宛にお送り下さい。

定価はカバーに表示してあります。

Printed in Japan © Shigeki Yamadaira 2002

幻冬舎アウトロー文庫

ISBN4-344-40312-6　C0195　　O-31-7